Ipplis 21/12/06

Un Ricordo delle mie
Visita in Friuli
e alla Zanella

Ciao Massimo

FRIULI~VENEZIA GIULIA

UN PICCOLO UNIVERSO
A LITTLE UNIVERSE

FRIULI~VEN

Elio Ciol

ZIA GIULIA

UN PICCOLO UNIVERSO
A LITTLE UNIVERSE

Testo / Text
Luciana Jorio

Commento alle immagini
Commentary on the photographs
Licio Damiani

English translation
Giles Watson

Magnus Edizioni

Printed in Italy by Lito Immagine Rodeano A. (UD)

ISBN 88-7057-092-4

Spesso tra il mito e la scienza il duello è impari e l'esito banale. Per dire: il colle di Udine che secondo la leggenda sarebbe stato innalzato dagli Unni per consentire a Attila di godersi l'incendio e la morte di Aquileia, è in realtà la conseguenza di un evento naturale avvenuto nell'epoca terziaria, come precisa il professore Tito Miotti grande cultore della storia dei castelli friulani.

Anche se sconfigge irrimediabilmente le suggestioni della fantasia, la circostanza comunque non toglie nulla alla singolarità di quel colle che si erge solitario e smarrito nel cuore della pianura, maestosamente avviata a infrangersi contro l'arco delle montagne: esso appare ugualmente calato dentro un clima di mistero, e si capisce benissimo perché nei secoli abbia alimentato congetture fiabesche; e poi perché sia diventato con il suo castello il simbolo di una etnìa rimasta fedele a se stessa nonostante i soprassalti della storia.

L'immagine che Ippolito Nievo ha dato di questa terra è forse abusata: un piccolo universo. Ma non se ne conoscono altre che possano esprimere così brevemente l'essenza del Friuli. Effettivamente un piccolo universo, nel quale il mare, la montagna, la collina, la campagna, i laghi e i fiumi concorrono a definire un paesaggio arioso e composito, un grande spazio in cui solennità e grazia convivono accentuandosi a vicenda.

Ora questo universo si è dilatato, comprende in sé anche quello che è rimasto all'Italia della Venezia Giulia, dopo le tragiche vicende dell'ultima guerra, dando vita così alla regione Friuli-Venezia Giulia, una nuova entità territoriale, politica e amministrativa di cui Trieste è il capoluogo. Le realtà comunque rimangono diverse, da una parte il Friuli, dall'altra la Venezia Giulia, ciascuna con le proprie particolarità, l'orgoglio delle origini e delle tradizioni e tuttavia costituenti un patrimonio culturale e di civiltà straordinaria per l'intera Regione.

Dire del Friuli non è semplice. La sua realtà è molteplice e difforme. Uno storico contemporaneo, Tito Maniacco, tenta di accreditare la convinzione che si tratta di un territorio popolato da «senza storia», ma è chiaramente

The contest between myth and science is often one-sided and its outcome disappointing. For example, the hill of Udine which, according to legend was raised by the Huns so that Attila could enjoy the burning and demise of Aquileia is actually the result of a natural event which took place in the Tertiary period, as Professor Tito Miotti, an authority on the history of the castles of Friuli, notes.

Although the truth of the matter crushes such flights of fancy, it takes nothing away from the uniqueness of the hill rising, lost and alone, in the heart of the plain which surges majestically on to come to rest against a ring of mountains. The hill seems wrapped in an aura of mystery nonetheless, and one can easily understand why it has inspired fabulous conjecture down the centuries. One can also understand why, with its castle, it has become the symbol of a people which has remained true to itself despite history's vicissitudes.

The image Ippolito Nievo has given us of this land is perhaps rather hackneyed – a little universe. However, there are no others which express so succinctly the essence of Friuli. It really is a little universe in which the sea, the mountains, the hills, the countryside, the lakes and the rivers come together to create an airy, many-sided landscape, a great space in which solemnity and grace live side by side and complement each other.

Now, this universe has expanded and includes what is left to Italy of Venezia Giulia after the tragic events of the last war, giving birth to the Region of Friuli-Venezia Giulia. This new territorial, political and administrative unit has Trieste as its capital.

The two parts, however, Friuli on the one hand and Venezia Giulia on the other, remain different. Each has its own peculiarities, pride in its own origins and traditions yet contributes to a heritage of culture and remarkable civilisation which belongs to the whole Region.

It is not easy to speak about Friuli. It has a many-sided, diverse nature. One contemporary historian, Tito Maniacco, has canvassed the view that it is a territory in-

una forzatura letteraria per dimostrare che qui la storia si è esercitata sopra una comunità contadina la quale ha opposto alle vicende degli uomini, spesso inspiegabili e tumultuose, una sua dimensione immutabile che l'ha preservata nel tempo dalle contaminazioni più vistose.

Udine, la capitale di questo sistema, si è sviluppata per gradi attorno a quel colle immerso nella sua assurda solitudine e ha celebrato il proprio millenario sulla base di un documento (l'unico pervenuto dall'alto Medio Evo) che reca la data dell'11 giugno 983 e la firma dell'imperatore Ottone II, il quale fa dono del «Castrum Utini», assieme ad altri quattro, al patriarca aquileiese Rodoaldo.

Udine a quell'epoca era un gruppo di casupole. L'unica cosa certa è che il territorio di cui si trovava al centro era abitato in principio da celti, cui in seguito si erano sostituiti i romani, e che attraverso le sue pianure, le sue colline, le sue montagne, si snodavano le strade dirette al nord muovendo dal porto di Aquileia.

La storia è stata matrigna col Friuli: dalla caduta dell'impero romano, al patriarcato di Aquileia; poi a Venezia, all'Austria fino al ricongiungimento con il regno d'Italia avvenuto nel 1866: una serie di alti e bassi, estranei alla volontà della gente, che hanno finito per emarginarlo, secondando quella sua «solitudine celtica» di cui parla, con immagine felice, lo scrittore Carlo Sgorlon, ma che nello stesso tempo, come dicevo, ha preservato le sue caratteristiche etniche e linguistiche dalle contaminazioni, permettendo che certi valori originari si mantenessero inalterati.

Specialmente nei paesi più fuori mano, che per lungo tempo sono rimasti lontani dalle grandi linee di comunicazione con il Veneto e l'Europa continentale, si colgono ancora oggi gli aspetti e i ritmi di un modo di vivere e di pensare che altrove sono spariti per sempre.

Ecco dunque il piccolo universo. E non c'è dubbio: la definizione è esatta. Chiunque giunge in questa terra da sud, dal resto del paese, ne coglie subito il significato. La prima immagine che si ha di questo luogo è quella di un paesaggio che anche nella grande distanza si definisce

habited by «men with no history» but he is clearly stretching a point to show that in Friuli, history has unfolded over the heads of a peasant community which has countered the often violent and unfathomable affairs of men with an immutability which has preserved it over the centuries from the more visible forms of contamination. Udine, the capital of this system, grew up gradually around its absurdly isolated hill and celebrated its millennium on the basis of a document (the only one extant from the early Middle Ages) which bears the date 11th June, 983 and the signature of the Emperor Otho II, who presented «Castrum Utini», along with four other castles, to Rodoaldo, Patriarch of Aquileia.

Udine at that time was a group of huts. The only thing certain is that the territory at whose centre it lies was at first inhabited by the Celts. The Romans drove them out and it was through these plains, these hills and these mountains that the northbound roads which led from Aquileia wound.

History has been mean with Friuli. From the fall of the Roman Empire to the Patriarchate of Aquileia, then Venice and Austria until reunification with the Kingdom of Italy in 1866, it has been a series of highs and lows. These have been extraneous to the will of the inhabitants and in the long run alienated them, reinforcing that «Celtic solitude» of which the writer, Carlo Sgorlon, speaks with such happy imagery. At the same time, as I have said, the people have kept their ethnic and linguistic characteristics free of contamination and so maintained certain native values unaltered.

Especially in out of the way villages, which remained far removed from the main lines of communication with the Veneto region and continental Europe, one can still find today the shapes and rhythms of a way of life and thought which has disappeared for ever elsewhere.

This, then, is the little universe. There can be no doubt that the definition is accurate. Those who arrive in this Region from the south, from the rest of Italy, grasp its significance at once. The first image one has of this area

con la precisione dei particolari. Dai vapori della pianura, chilometro dopo chilometro, emerge un insieme maestoso che si avvia con andamento tranquillo verso lo sbarramento delle Prealpi contro le quali esso si schianta all'improvviso, in un ribollire capriccioso di verdi colline punteggiate di campanili e alberi.

Di mano in mano che si prosegue verso nord, l'aria si fa più trasparente. Il taglio di luce è netto. Ogni cosa assume contorni da *silhouette* contro il fondale del cielo. Il confine di questa diversa dimensione dell'Italia corre intorno a Sacile, avamposto di Pordenone. Qui il Veneto è ancora presente nella morbidezza della natura e del linguaggio: un luogo di decantazione che grosso modo si stende fino al grande spartiacque costituito dal Tagliamento, oltre il quale, e fino all'Isonzo, si arrocca il Friuli storico. La tentazione è di andare senza mèta per questa terra così ricca di proposte suggestive. Ma occorre attingere al metodo, all'ordine espositivo se non si vogliono ammucchiare soltanto cumuli di emozioni malamente collegate l'una con l'altra. Anche perché l'attuale struttura di questo territorio presenta differenze e scompensi che si possono spiegare soltanto con le bizzarrie della storia. La quale ha finito per imporre una netta demarcazione tra il Friuli orientale che fa capo a Gorizia e quello occidentale che fa capo a Udine. E una ancora più drastica enucleazione della zona di Trieste che dal '700 e fino al 1963 ha vissuto un'avventura particolarissima di cui essa conserva tuttora un ricordo venato di nostalgia.

Oggi – come dicevo – il tutto convive in una regione che prende il nome di Friuli-Venezia Giulia e che si compone di due realtà difformi per le quali la politica si sforza giustamente di trovare equilibrati elementi di unificazione. Un tempo, invece, all'epoca del Patriarcato di Aquileia, che fu uno dei feudi più ampi del Medio Evo italiano, la realtà era unica per tutto il territorio abbracciato dalle Alpi Giulie. Quando avvenne la separazione, Udine prese a gravitare nell'orbita di Venezia, mentre Gorizia e Trieste passarono sotto l'egida dell'Impero. E così fu e rimase sino alla fine della prima guerra mondiale.

is of a landscape which is well-defined in detail even at a great distance. Kilometre after kilometre, through the mists of the plain, emerges a majestic whole which continues calmly on to the breakwater of the Prealps against which it crashes all at once in a fanciful tumult of green hills studded with bell-towers and trees.

The further north one goes, the more transparent the air becomes. The light has a cutting edge. Everything has the sharp outline of a silhouette against the backdrop of the sky. The border of this other dimension of Italy skirts Sacile, an outpost of Pordenone. The Veneto is still present here in the softness of the natural environment and the speech. It is a transitional area which extends, roughly, up to the great watershed of the river Tagliamento, beyond which, up to the Isonzo, lies historic Friuli. It is tempting to wander through this country with so many fascinating things to offer. However, we must be methodical and keep our narrative orderly if we do not wish merely to accumulate isolated emotions with little in common. Moreover, the present structure of this territory exhibits differences and imbalances which can only be explained by the eccentricities of history, a history which has imposed a sharp demarcation between eastern Friuli, which centres on Gorizia, and western Friuli with Udine as its centre. There is an even more dramatic distinction between these and the Trieste area which, from the eighteenth century until 1963, lived through a very special adventure, still remembered with a hint of nostalgia.

Today, as I have said, all this lives together in a Region called Friuli-Venezia Giulia, made up of two dissimilar parts for which balanced, unifying elements are rightly being sought by political means. Once, however, at the time of the Patriarchate of Aquileia, one of the vastest fiefdoms in Italy in the Middle Ages, all the territory enclosed by the Julian Alps was a single entity. When this was split up, Udine gravitated towards Venice, while Gorizia and Trieste came under the protection of the Empire, and so things remained until the end of the First World War.

Il Friuli, in ogni caso, come entità etnica e linguistica, si andò formando all'epoca del Patriarcato aquileiese. E quella che espresse fu una comunità contadina, alle prese con una natura povera di risorse e con i violenti contrasti di un lungo periodo storico caratterizzato da faide rissose. Una comunità che per il suo ruolo subalterno non poté attingere minimamente a tutto quello che allora stava esprimendo l'Italia dei Comuni e delle Signorie.

Dice giustamente Sgorlon, lo scrittore più calato dentro la realtà della sua terra, che i friulani, in quei secoli bui, reagirono a tutte le avversità creandosi una specie di inconscio collettivo carico di sentimento di precarietà, lo stesso che caratterizza, per inciso, la natura e la prosa di questo autore che si rifugia spesso infatti nella leggenda e nel sogno.

Ma i tempi sono cambiati. Gli antichi steccati sono in gran parte caduti e oggi il Friuli vive una stagione intensamente dinamica, ricca di trasformazioni. Ne è un esempio Pordenone che è diventata la capitale industriale della regione, specialmente in seguito al ruolo di capoluogo di provincia che le è stato attribuito sul finire degli anni Sessanta.

Oggi il territorio di Pordenone sembra guardare più al Veneto che al Friuli che gli sta alle spalle e del quale comunque fa parte. Ma si tratta di una spinta economica, più che di una precisa vocazione culturale. La quale, soprattutto in alcuni tra i maggiori centri della sua provincia – come Spilimbergo e San Vito al Tagliamento – continua a essere appunto intensamente friulana.

Da Pordenone, il Friuli muove verso nord-est seguendo da un lato l'arco preciso delle montagne e dall'altro quello dell'Adriatico. E a questo punto c'è da mettere l'accento sulle diverse anime di questa terra. Perché la pianura, la collina e la montagna compongono altrettante tessere di un mosaico che trova il suo collante esclusivamente nella compattezza etnica e linguistica (sia pure con marcate differenze di accenti e di parlate). Esploriamo pertanto questo universo, lasciando – ora sì – libero

Friuli, however, began to take shape as an ethnic and linguistic unit at the time of the Patriarchate of Aquileia. It was a rural community, pitted against a land poor in resources and riven by the violent disputes of a long period of history characterised by bitter feuds. It was a community which, because of its secondary role, had no access to everything that was going on in the flourishing Italy of city-states and signories.

As Sgorlon, the writer who is most deeply imbued with a sense of this land, so rightly says, the Friulians reacted to all adversities in those dark centuries by creating a kind of collective unconscious full of a sense of insecurity. The same sense of insecurity, by the way, characterizes the writing and personality of this author who often takes refuge in legend and dream.

Times have changed, however. The old barriers have, by and large, come down and today Friuli is experiencing an intensely dynamic season, full of change. An example of this is Pordenone, now the industrial capital of the Region, particularly after its nomination as a provincial capital towards the end of the sixties.

Today, the territory of Pordenone would seem to look more to the Veneto than to Friuli, which lies behind it and of which it is a part. This, though, is due to economic pressure rather than to any specific cultural vocation, which continues to be intensely Friulian, especially in some of the larger towns in the province like Spilimbergo and San Vito al Tagliamento.

From Pordenone, Friuli moves north-east following the sharp ring of mountains on one side and the Adriatic on the other.

At this point, we ought to emphasise the different spirits of this land, because the plain, the hill and the mountain are tiles of a mosaic held together exclusively by ethnic and linguistic mortar (albeit with marked differences of accent and speech). So let's explore this universe together, giving free rein to our emotions.

There are those who say the real roots of Friuli lie in the mountains. Indeed, without wishing to espouse unreserv-

campo all'emozione. C'è chi colloca nella montagna le vere radici del Friuli. E effettivamente, anche senza volere sposare del tutto questo concetto-sensazione, è dalle montagne che viene quel senso del mistero e della diversità, in cui l'ambiente friulano sembra calato.

La Carnia costituisce l'ambiente naturale nel quale Carducci ha collocato il suo famoso «Comune rustico». Ed è dalla Carnia che viene in maniera più definita quella memoria celtica di cui si alimenta il carattere friulano. Boschi, abetaie, prati smeraldini, dolci vallate percorse dal vento: certo, la Carnia, con i suoi antichissimi riti del fuoco, le sue sculture lignee custodite nel museo di Tolmezzo, con la sua propensione singolare per il grottesco, esprime l'anima più ruvida e anche più delicata del Friuli. Il suo territorio si spinge fino alle soglie del Cadore, attingendo largamente al contrasto dolomitico.

Ma la montagna friulana non si esaurisce nella Carnia. C'è, per dire, il tarvisiano dominato emblematicamente da quel «Monte Canino» a cui si rifà con melodia struggente una delle più belle canzoni della prima guerra mondiale. E c'è la magica *enclave* della Valle di Resia in cui si parla un linguaggio che ha sicuramente sedimentazioni di origine tartara. Di questa valle di Resia ho personalmente un ricordo preciso e delicato. Mi recai lassù, per un servizio giornalistico, a meno di una settimana dal terremoto distruttivo del 1976. Mi trovai di fronte a un tragico ammasso di rovine e a una ordinata tendopoli rizzata nei pressi dell'abitato di Oseacco, che di tanto in tanto traballava a causa dei fremiti della terra. In quel luogo assistei a una riunione del consiglio comunale indetta sotto una grande quercia, per decidere sul da farsi. E poi a un matrimonio tra due giovani in costume resiano, celebrato ai magini di un bosco, con gli alpini della Julia che servivano il pranzo nuziale, mentre altri ragazzi, anch'essi in costume (avevano recuperato quegli abiti bellissimi tra le macerie delle loro case) danzavano al suono di una orchestrina. Ricordo l'emozione che provai quel giorno. E anche il messaggio rincuorante di vitalità caparbia che mi venne da quella cerimonia ce-

edly this concept or feeling, it is from the mountains that the sense of mystery and otherness with which Friuli is imbued comes.

Carnia provided the natural setting for Carducci's «Rural Township». Moreover, the Celtic consciousness which the Friulian character nurtures comes, in its best-preserved form, from Carnia and its forests, pine-woods, emerald meadows and soft, windswept valleys. Certainly Carnia, with its ancient fire rituals, the wooden sculptures to be seen in the museum of Tolmezzo and its singular tendency towards the grotesque, represents the more rugged, but also the more delicate side of Friuli. Its territory extends up to the threshold of Cadore, drawing much from the contrast with the Dolomites.

However the mountains of Friuli are not just Carnia. There is, for example, the Tarvisio region, dominated symbolically by the «Monte Canino» which inspired one of the most beautiful and movingly melodic songs of the First World War. There is the magical enclave of the Resia Valley where a dialect is spoken which certainly has residues of Tartar origin. I have myself a clear yet tender memory of the Resia Valley. I went there as a reporter less than a week after the terrible 1976 earthquake. I found myself looking at a tragic heap of ruins and a neat tent village erected near the built-up area of Oseacco, which shook from time to time because of earth tremors. There, I was present at a town council meeting held under a great oak tree to decide what was to be done. Then I was present at the wedding of a young couple in Resian costume, celebrated at the edge of a wood with Alpine troops of the Julia Brigade serving the wedding breakfast while other young people, also in traditional costume (they had retrieved the beautiful clothes from the ruins of their houses) danced to a small band. I remember how moved I was that day, and I also remember the encouraging message of stubborn vitality I drew from the ceremony celebrated in the astonished silence of the valley, at the foot of a snow-covered Mount Canin.

Another exciting moment was my first glimpse of the

lebrata nel silenzio attonito della vallata, ai piedi del Canin ricoperto di neve.

Un'altra emozione: quella che mi procurò il primo approccio con la vallata del Musi, un monte dalla cresta tormentata, alle cui pendici zampillano le sorgenti del Torre. Da Udine sono una trentina di chilometri. Ancora meno da Tarcento, la cittadina (era chiamata la «perla del Friuli» prima che il terremoto la martoriasse) alle spalle della quale si apre questa valle strettissima e qua e là angosciosa.

La strada si snoda in posizione sopraelevata rispetto al corso del Torre che fluisce dentro dense quinte di verde. E alla fine, dopo una serie di impervi tornanti, sfocia davanti al maestoso corruccio del Musi.

Scendono da quelle pietre, sulle quali il vento si esercita da millenni, i rintocchi disordinati dei campanacci delle mucche al pascolo e le grida brevi e rauche degli uccelli che volano pigramente lungo gli scoscendimenti del crinale.

Ciò che mi colpì e che mi colpisce ogni volta che mi avventuro da quelle parti per un pellegrinaggio di sensazioni profonde, è la suggestione primordiale del sito e la mia ricorrente incapacità di collocarlo a non più di mezz'ora di macchina da Udine.

Udine, come dicevo, è la capitale spirituale oltre che geografica di questo sistema.

Sebbene, negli ultimi anni, l'incremento demografico generalizzato l'abbia sollecitata, la città non si è lasciata tentare dalle lusinghe dell'espansione. È riuscita a rimanere fedele a se stessa, alle proprie dimensioni, scandite dalla scenografia fiabesca dei suoi borghi con le piccole, modeste case, addossate le une alle altre in una specie di mutua solidarietà statica.

Udine mette in vetrina i suoi vigorosi quarti di nobiltà architettonica nelle piazze e nelle vie del centro storico e si specchia nel suo nucleo originario, abbarbicato alle pendici del castello.

Per la sua posizione è in un certo senso il baricentro del Friuli, simbolicamente equidistante dal mare e dalla montagna, alla quale si giunge quasi all'improvviso, dopo

Musi Valley. Mount Musi is a craggy-peaked mountain on whose slopes the gushing source of the river Torre rises. It lies about thirty kilometres from Udine, and less from Tarcento, the town (known as «the pearl of Friuli» before it was devastated by the earthquake) behind which this narrow and occasionally grim valley lies.

The road runs high above the course of the Torre, which flows behind dense screens of green. In the end, after a series of hair-raising twists and turns, it emerges before the majestic wrath of Mount Musi.

Down through rocks exposed to the wind for thousands of years comes the confused tinkling of cow-bells from the pastures and the short, hoarse cries of birds flying lazily along the precipitous flanks of the ridge.

What struck me and still strikes me every time I venture into these parts on a pilgrimage in search of profound emotion, is the primordial fascination of the site and my continuing inability to believe it is no more than half an hour's drive from Udine.

Udine, as I have said, is the spiritual capital of this system as well as the geographical one.

The town has not yielded to the temptations of expansion, although in recent years an overall increase in population has created pressure for this. It has managed to remain true to itself and its own dimensions, marked out in the fairy-tale scenery of its suburbs with their small, modest houses leaning on one another in a kind of motionless mutual solidarity. Udine shows off its vigorous pedigree of architectural nobility in the squares and streets of the town centre and is reflected in the original centre, clinging to the slopes of the castle hill.

Udine is, by virtue of its location, the centre of gravity of Friuli, symbolically equidistant from the sea and the mountains. One reaches the mountains almost without warning, after the brief introduction provided by the hills of the glacial amphitheatre which lies between San Daniele and Tarcento.

Friuli is of course not just a landscape, a mixture of harshness and softness offered in abundance by Nature

la breve mediazione delle colline dell'anfiteatro morenico che si stende tra San Daniele e Tarcento.

Naturalmente il Friuli non è solo paesaggio, una mescolanza di asperità e dolcezza che la natura propone a piene mani e che intenerisce nel ricordo il cuore degli emigranti disseminati il tutto il mondo. Esso è anche una realtà complessa di situazioni imposte dai ritmi celeri del vivere quotidiano.

Ma a me piace indulgere alle sensazioni in questa scorribanda regionale, tanto più che la materia prima non manca, anzi è addirittura in eccesso. A Udine e Pordenone, nella galassia friulana, si aggiunge la costellazione di Gorizia, adagiata sulla riva sinistra dell'Isonzo. Questa città ha sofferto molto per le conseguenze punitive dell'ultimo conflitto mondiale. Il confine le ha sottratto un terzo del territorio comunale e buona parte di quello provinciale. E la tremenda mutilazione è ancora lì, dolorante, incapace di cicatrizzarsi. E tuttavia Gorizia non ha perduto nulla della sua eleganza che muove dalle architetture medioevali del castello per comporsi nelle geometrie ordinate del suo assetto asburgico.

Era la Nizza dell'Austria, l'approdo più ambito per i burocrati dell'Impero in età di pensione. È rimasta una città giardino, immersa nel verde. Da Gorizia, in direzione di Cormons, si dirige la sgroppata allegra del Collio, una breve sequenza di colline, ormai celebri per il vino che dànno. Il confine con la Jugoslavia le taglia rigorosamente a metà, come una scriminatura impietosa quanto assurda. Ciò non toglie che il Collio con tutti i suoi approdi da San Floriano a Capriva a Cormons, costituisca un altro esaltante punto di riferimento nel panorama del Friuli. Da queste alture si domina la pianura sottostante che scende verso l'Adriatico lasciando intravvedere i nitidi profili di Gradisca e più oltre di Palmanova.

È in questa pianura che l'Isonzo, appena uscito dalla stretta delle montagne, fluisce con le sue acque azzurre nel breve percorso che lo separa dal mare, lambendo luoghi, rilievi, in cui tra il 1915 e il 1918 si consumò la tragedia della Grande guerra.

to warm in memory the hearts of emigrants scattered all over the world. It is also a complex whole of events that the urgent rhythms of everyday life impose. I, however, prefer to luxuriate in the sensations of this tour round the Region, the more so since there is no lack of raw material. Indeed, there is too much.

In the Friulian galaxy, the constellation of Gorizia, lying on the left bank of the river Isonzo, ranks alongside Udine and Pordenone. This town has suffered a great deal in the punitive aftermath of the last World War. The border has lopped off a third of the municipal territory and a large part of the provincial territory. The awful mutilation is still there, painful and unhealing. However, Gorizia has lost none of its elegance, which ranges from the medieval architecture of the castle to the tidy pattern of its Hapsburg orderliness.

Gorizia was the Nice of Austria, the most coveted destination for Imperial administrators of pensionable age. It has remained a garden-city, sunk in a sea of green. From Gorizia, we gallop cheerfully away towards Cormons along the Collio, a short range of hills now noted for the wine they produce. The Yugoslavian border cuts remorselessly across them halfway along, like a well-combed, if somewhat ridiculous, parting. This does not prevent the Collio and all its centres from San Floriano to Capriva and Cormons from forming another exhilarating landmark in the panorama of Friuli. These heights dominate the plain below which descends towards the Adriatic allowing us a glimpse of the sharp profiles of Gradisca and, further on, Palmanova. It is across this plain that the Isonzo flows, having just emerged from the mountain passes, touching, in the brief distance which separates it from the sea, sites and hills where the tragedy of the Great War unfolded between 1915 and 1918.

Here we have Calvario overlooking Gorizia to join up with Sabotino. Here we have San Gabriele, and here San Michele. Time has not cancelled all the traces of a conflict in which six hundred thousand Italians died. Here and there, in the fields and along the roadsides, the remains

Ecco il Calvario che sovrasta Gorizia per raccordarsi col Sabotino. Ecco il San Gabriele. Ecco il San Michele. Il tempo non ha cancellato tutte le tracce del conflitto in cui morirono 600 mila italiani. Qua e là, tra i campi, e lungo i bordi delle strade, affiorano ancora i resti delle trincee e dei camminamenti, mentre si avvicina il grande slargo della Bassa, con i suoi pioppeti, i campi ordinati dentro il reticolo dei sentieri e le fresche risorgive che rendono verdissima la campagna oltre San Giorgio di Nogaro, tra Latisana e Codroipo, dove c'è anche Passariano con la splendida Villa Manin, il momento di massima sintesi e discriminazione tra il Friuli e il Veneto. Se tra le montagne si annida il mistero, l'inconscio celtico del Friuli, dalla Bassa viene l'ampio respiro di questa terra che qui assume evidenze solari. Siamo ai margini settentrionali della Padania, ma l'atmosfera non si stempera nelle foschie. Ogni cosa è netta, evidente, si compone in un affresco tagliente solcato da luci nordiche. Il mare è poco distante, quasi all'angolo della strada, oltre il rettilineo che conduce a Lignano.

Questa è una località balneare relativamente recente. È nata in pratica tra le due guerre, dopo le opere di bonifica dei terreni paludosi della Bassa. Era un piccolo centro di pescatori nel quale un nucleo di «pionieri» operò un investimento alberghiero che col passare degli anni si rivelò lungimirante. Adesso, con i suoi dieci chilometri di litorale, tra la laguna di Marano e la foce del Tagliamento, Lignano è un'autentica capitale balneare e, per questo, uno dei maggiori poli economici della intera regione.

Spiaggia friulana a tutti gli effetti, inclusi quelli imprenditoriali, Lignano appare protesa verso l'avvenire di un turismo di dimensioni planetarie che secondo il calcolo degli esperti, entro la fine di questi anni Ottanta, dovrebbe muovere appunto in tutto il mondo non meno di 800 milioni di persone all'anno. E sotto questo profilo essa appare, in un certo senso e involontariamente, il contraltare di Grado, ancora tenacemente abbarbicata alla sua vecchia tradizione asburgica.

of trenches and communication trenches appear as we approach the great open spaces of the lowlands with their poplar-groves, their tidy fields bordered by paths, and cool springs which make the countryside green beyond San Giorgio di Nogaro, between Latisana and Codroipo. There is also Passariano with the splendid Villa Manin, the highest moment of synthesis between Friuli and the Veneto. If in the mountains there is mystery, the Celtic unconscious of Friuli, in the lowlands there is the wide-ranging aspect of this land which takes on solar breadth. We are at the northern edge of the Po valley, but the atmosphere is not shrouded in mists. Everything is clear, open and makes up a sharp fresco streaked with northern light. The sea is near at hand, almost round the corner, at the end of the straight road which leads to Lignano.

Lignano is a relatively new seaside resort. It sprang up between the wars after the lowland marshes were reclaimed. It was a small fishing village where a group of «pioneers» made an investment in hotels which proved, as the years went by, to have been far-sighted. Now, with its ten kilometres of sea-front between the lagoon of Marano and the mouth of the river Tagliamento, Lignano is a real seaside capital and for this reason, one of the main economic centres of the whole Region.

Friuli's beach in every sense, including the entrepreneurial one, Lignano looks poised to take advantage of the tourism of the future, which will be on a worldwide scale and which should involve by the end of the eighties, according to expert estimates, not less than eight hundred million people a year. From this point of view it looks, in a certain sense involuntarily, like the antithesis of Grado, which still clings tenaciously to its ancient Hapsburg tradition.

Grado came into being as a seaside resort at the beginning of the century as an Austrian beach. Its peculiar insular nature has always allowed it to stand alone as an environment with a proud conception of its own uniqueness.

Grado is a direct descendant of Aquileia. When Attila

Grado, infatti, quale centro balneare, nasce all'inizio del secolo come spiaggia austriaca. La sua peculiarità insulare le ha sempre consentito di costituire un ambiente a se stante che ha un concetto orgoglioso della propria solitudine.

Grado è figlia diretta di Aquileia. Quando Attila mise a ferro e a fuoco il grande porto romano, la gente cercò scampo negli isolotti della laguna. Così nacque Grado, al pari di Venezia. E la sua architettura e le sue chiese sono lì ancora oggi a dimostrarlo. Un luogo unico nella fitta agenda delle spiagge italiane. Ma un luogo unico, soprattutto, per la schiettezza della sua armonia. Il mare attorno a questa isola si frantuma nei meandri dei canali che si incuneano tra le lingue di sabbia in cui si disperde la topografia lagunare.

A settentrione, l'ampio bacino delimitato dalla foce dell'Isonzo, al centro del quale c'è il santuario di Barbana. A ovest la terraferma con le prime avvisaglie della vicina Aquileia. A sud, l'eleganza della laguna: arenili vergini custoditi dai gabbiani, ciuffi d'alberi, i «casoni» di paglia dei pescatori.

Questo ambiente ha un fascino struggente. D'inverno l'acqua ha i riverberi secchi dell'acciaio. D'estate si accende in sinfonie rosa e violette. E questo spiega perché Grado può sempre contare su un nucleo consistente di amatori, sedotti più dalla sua cornice naturale che dalla grazia dei servizi balneari.

La laguna si stende fino a Lignano, da dove riparte per raggiungere Venezia. Essa costituisce un insieme di proposte recondite, raggiungendo il massimo della poesia alle foci dello Stella, dove il fiume scorre letteralmente nel mare da cui lo separano, per qualche chilometro, argini esilissimi di canne palustri.

Grado, sotto un certo aspetto, costituisce un'unità anomala se messa a confronto con la realtà friulana che le sta alle spalle. Diversa nelle tradizioni, diversa nella parlata cui la poesia di Biagio Marin ha dato dignità universale, l'isola si bea della sua «particolarità» marinara: un mondo di pescatori ancora compatto e nutrito, almeno a

sacked the great Roman port, the population sought refuge on the islands of the lagoon. Grado was born in this way, like Venice. Its architecture and churches are still there today to prove it. It is a unique spot, even among Italy's many beaches. Above all, it is unique in its pure harmony. The sea around the island breaks up into the winding canals cut into the sands, which are the keynote of the lagoon topography.

To the north, there is the wide basin formed by the mouth of the Isonzo, with the sanctuary of Barbana in the middle. To the west there is the mainland and the first glimpses of nearby Aquileia. To the south lies the elegant lagoon with its smooth sandbanks watched over by gulls, clumps of trees and the straw «casone» huts of the fishermen. There is a delicious charm about the place. In winter, the water has the dry reflections of steel and in summer bursts into symphonies of pink and purple. This is why Grado can always rely on a substantial number of enthusiasts who come more for the allure of the natural setting than for the attractions of the bathing.

The lagoon extends as far as Lignano, from where it carries on to Venice. It is a wealth of hidden treasures which reaches the height of poetry at the mouth of the river Stella, which flows quite literally out into the sea from which it is separated for a few kilometres by narrow banks of marsh reeds.

Grado is, in a way, anomalous if compared with the Friuli which lies behind it. Its traditions are different as is its dialect, to which the poetry of Biagio Marin has given a universal dignity. The island is proud of its seagoing «specialness». It is a world of fishermen which, to judge by the number of fishing boats at anchor in the harbour, is sound and healthy.

This can also be explained by the fact that Grado, precisely because of its insular nature, represents that eccentric element with respect to the mainland, near to it and with which there is now a fixed link, from which the division of the Region into two parts derives. Many people feel that these two sections are extremely difficult to inte-

giudicare dal numero delle barche ormeggiate nel porticciolo.

Questo si spiega anche con il fatto che Grado, proprio per la sua condizione insulare, rappresenta l'elemento eccentrico – rispetto alla terraferma che pure è vicinissima e alla quale ora è stabilmente collegata – da cui parte la spartizione della regione nei due tronconi che la compongono e che sono in molti a considerare difficilmente integrabili l'uno nell'altro. Dunque, da un lato il Friuli, dall'altro la Venezia Giulia. E Grado con le sue diversità e la sua neutralità a segnare dal mare la displuviale.

Le diversità, come dicevo, sono d'ordine storico. E la storia ha creato una spaccatura di mentalità. Problemi di mare e problemi di terra. Ma anche l'influsso asburgico e il retaggio cosmopolita di Trieste di cui si indovina il profilo lungo il margine orientale del golfo.

Ora il tutto forma un insieme che è unitario soltanto dal punto di vista amministrativo. In realtà le differenze sono percepibili a occhio nudo, non fosse altro che per le mutazioni del paesaggio.

Ecco, dalla morbidezza severa della vasta campitura friulana si passa alle asperità delle pietraie carsiche, agli strapiombi di rocce nel mare dentro i quali si annidano i gioielli di Duino, Sistiana, e della strada litoranea che scende verso Miramare.

Muta anche il concetto di fiume. Al grande respiro dell'Isonzo si contrappone la breve corsa del mitico Timavo. Mi capita spesso di sostare a San Giovanni di Duino nei pressi delle gelide polle, culla del Timavo. Il luogo è di una bellezza struggente.

L'acqua, appena uscita dalle viscere della montagna, gorgoglia quietamente dentro verdi fondali di salici morbidi, straordinariamente sensibili al mutare della brezza. Come una sosta di meditazione.

E in effetti qui la meditazione è d'obbligo. Nello spazio esiguo che separa le bocche del fiume dalla foce, la mitologia esprime alcune delle sue pagine più fantasiose.

Non è difficile immaginare in questo sito l'approdo degli

grate – Friuli on the one hand and Venezia Giulia on the other. Grado in its otherness and neutrality marks the watershed from the sea.

As I have said, this otherness is of an historical order. History has created a diversity of outlook – the problems of the sea and those of the land. However, the Hapsburg influence comes into it as does the cosmopolitan history of Trieste, whose outline can be discerned along the eastern edge of the gulf.

Now, everything forms a whole which is unified only from the administrative point of view. In fact, the differences can be seen with the naked eye, not least in the changing landscape.

This takes us from the neat, soft lines of the vast plain of Friuli to the ruggedness of the rocky Carso, to the sheer cliffs overlooking the sea where Duino and Sistiana nestle like jewels and where the coast road goes down to Miramare.

The nature of the rivers changes, too. The wide-flowing Isonzo is contrasted by the short course of the legendary Timavo. I often stop off at San Giovanni di Duino near the icy spring that is the cradle of the Timavo. It is a place of overwhelming beauty. The water, which has just emerged from the depths of the mountain, bubbles quietly past a green backdrop of gentle willows, sensitive to the slightest change in the breeze. It is like a pause for meditation. Indeed, here one is obliged to meditate. In the short distance that separates the source of the river from the mouth, mythology has written some of her most imaginative pages.

It is not difficult to imagine Jason and his Argonauts landing here in their search for the Golden Fleece, nor the great warrior Diomedes, on his way back from the Trojan War with his famous horses. Diomedes had overcome in combat even the god Mars, forcing terrible screams of pain from him. But he also had, besides strength and great courage, a gentle spirit, as is testified by the ecstasy which overwhelmed him according to legend right here, at the source of the Timavo where the water bubbles softly.

Argonauti di Giasone impegnati nella ricerca del Vello d'oro. Né quella di Diomede, il grande guerriero, reduce dalla guerra di Troia, assieme alle sue celeberrime cavalle. Diomede aveva sconfitto in combattimento perfino il dio Marte, strappandogli apocalittiche urla di dolore. Ma che avesse, oltre alla forza e al grande coraggio, anche un animo gentile, pare assodato dall'estasi in cui, secondo la leggenda, fu pervaso proprio qui, alle bocche del Timavo nel sommesso rigurgito dell'acqua.

Dev'essere per questo e per ringraziare gli dei della benevolenza che gli avevano dimostrato che egli piantò nei paraggi alcune viti, che col tempo si moltiplicarono dando quel vino «Pucinum» del quale, assai più tardi, l'imperatore Tiberio faceva rifornire assiduamente sua madre ammalata, quasi fosse una rara medicina.

Si può sorridere fin che si vuole, ma la fama di questo vino medicinale è durata fino ai tempi nostri. Il Terrano, una derivazione del Refosco, a sua volta filiazione del Pucinum di cui si persero le tracce intorno al Sedicesimo secolo, veniva consigliato agli anemici dai più noti medici viennesi, fino a qualche decennio fa.

Ancora una leggenda, a poche decine di metri dal corso del Timavo. Questa è d'altro genere. È credenza diffusa ancora oggi che dentro il perimetro del piccolo cimitero di San Giovanni di Duino suoneranno, quando sarà il momento, le trombe del Giudizio Universale e che dunque quei morti saranno i primi a risorgere. Tutto questo indusse molta gente a chiedere di essere seppellita in quel camposanto per avere più certezza nella propria immediata resurrezione.

Adesso la costa scoscesa si apre in una breve insenatura dentro la quale sta il porticciolo di Duino, un piccolo, elegantissimo ninnolo. Le rocce lo modellano ai piedi del vecchio castello d'epoca tardo-romana, accanto al quale è sorto quello dei principi di Turm und Taxis in cui Rilke scrisse le sue famose odi duinati.

In effetti qui è tutto poesia, i raccordi sono brevissimi, domestici. C'è perfino un fantasma immortalato nelle forme bizzarre di una roccia pallida e oblunga a picco

It must be for this reason, and to thank the gods for the favour they had shown him that he planted some vines at the spot. These multiplied over the years to give the «Pucinum» wine with which, much later, the Emperor Tiberius regularly supplied his sick mother, as if it was a rare medicine.

One can smile as much as one likes, but the fame of this medicinal wine has lasted down to our times. Terrano, a derivative of Refosco, in its turn related to the Pucinum whose traces were lost around the sixteenth century, was recommended to anaemics by the most famous doctors in Vienna up until a few decades ago.

There is another legend from only a few dozen metres away from the course of the Timavo, of a different kind. It is widely believed even today that, when the time is right, the Last Trump will sound within the perimeter of the small cemetery of San Giovanni di Duino, and that the dead there will be the first to be resurrected. This led many people to ask to be buried in the churchyard to be more certain of an immediate resurrection.

Now the rocky coast opens out into a small cove where the harbour of Duino lies, a tiny, elegant gem. The rocks shape it at the feet of an ancient castle from the late Roman period, near which is the castle of the Princes of Turm und Taxis, where Rilke wrote his famous Duino odes.

Everything here is poetry, really, as poetic associations are direct, almost intimate. There is even a ghost immortalized in the strange shapes of a pale, oblong rock, sheer above the sea. It is the ghost of the White Lady whose unforgiving husband back from the Crusades slew her for her unfaithfulness, and which is now trapped in the rock in horrifying torture.

A short walk or swim away we have Sistiana with its dense pine grove and its beach. This cliff, one must say, never fails to amaze with the harmony of its lines. Further on, we come to Miramare, another castle and more sad, romantic legends set in a blaze of colourful gardens.

sul mare. È quello della Dama bianca che il marito inflessibile, reduce dalle Crociate, uccise per la sua infedeltà e che ora è fissato nella pietra in una orrorifica dimensione di dolore.

Ancora qualche passo o qualche bracciata in mare ed ecco Sistiana con la sua fitta pineta e la sua spiaggia. Questa scogliera, bisogna dirlo, non finisce di stupire per la gradevolezza delle sue scansioni. Più avanti, infatti, si profila Miramare: un altro castello e altre leggende romantiche e tristi in un tripudio di giardini fioriti.

La strada che scende verso Trieste, appunto tra Sistiana e Miramare, può essere paragonata a quella della costiera amalfitana. Corre a mezza costa. Da un lato, in basso il mare, dall'altro la durezza tragica del Carso. Ma in autunno tutto si accende, avvampa, nei toni rossi di una vegetazione che si avvia con sensualità verso il proprio disfacimento. Trieste mi accoglie con la sua riviera di Barcola. Raffinata, sofisticata, la città si propone con una sorta di pudore. Certo, sono finiti i tempi del grande emporio imperiale. Tuttavia si conserva nella sua atmosfera un profumo di cose antiche, custodite con garbo.

Non si tratta comunque di un luogo sopravvissuto a se stesso. Per quanto sia in preda a una crisi provocata dalle difficoltà del suo retroterra esiguo, tagliato dal confine, Trieste mantiene quel suo «specifico» che è fatto di tradizione e cultura e che la rende una città unica in Italia per una somma di ragioni di cui l'estrazione mitteleuropea è una parte preponderante.

Trieste, per forza di cose, appare chiusa in se stessa, dentro le proprie mura immaginarie. Ma il suo respiro è ancora ampio, volendo considerare l'enorme potenzialità del porto il quale ha bisogno soltanto di una politica adatta alle sue attitudini continentali.

È un discorso vecchio. Ha innestato polemiche e prese di posizione drastiche e crudeli. È tra le cause principali del terremoto politico che ha fatto nascere un movimento di protesta di rilevanti proporzioni cittadine. E comunque appare l'unico discorso possibile per il futuro del capoluogo della regione Friuli-Venezia Giulia, il quale in-

The road which goes down to Trieste between Sistiana and Miramare can be compared to the Amalfi coast. It runs halfway up the cliff with the sea below on one side and the tragic ruggedness of the Carso on the other. In autumn, however, everything comes alive, indeed bursts into flames in the russet tones of vegetation preparing, sensuously, to meet its fate. Trieste greets us in the shape of the Barcola coast. The city, refined and sophisticated, advances with a kind of modesty. Certainly, the days of the great Imperial commercial centre are over but the savour of bygone glories, preserved with style, can still be found in the air.

Trieste is not, however, a place which has had its day. Although it is in the grip of a crisis brought on by the problems of having a miniscule hinterland cut off by the border, Trieste retains its own special identity of tradition and culture which makes it unique in Italy for a number of reasons among which the Mitteleuropean past is pre-eminent.

Inevitably, Trieste seems closed in on itself behind imaginary walls. It still has far-reaching opportunites, nonetheless, taking into consideration the enormous potential of the port. Only a policy in line with its continental instincts is lacking.

This is an old story which has caused arguments and extreme, even vindictive, attitudinizing. It is one of the main causes of the political earthquake which produced a civic protest movement of considerable proportions. It does, however, seem the only way open in future to the regional capital of Friuli-Venezia Giulia. It can only fall back on its own roots, and on the Imperial royal decree of Empress Maria Theresa which transformed Trieste into an international metropolis in the eighteenth century.

The Hapsburg Empire is no more but there is Europe in its place. The story can begin again, not just for Trieste, but for Friuli, too.

One often becomes so enamoured of words as to relegate them to the role of commonplaces through overuse. Nonetheless, what people have been saying for years, that this

fatti non può che rifarsi alle proprie origini: quell'imperial regio decreto di Maria Teresa che nel Settecento lo trasformò in una metropoli internazionale.

Ora l'impero asburgico non c'è più. Ma al suo posto c'è l'Europa. E dunque il discorso può essere ricominciato da capo, non solo per Trieste, ma anche per il Friuli.

Spesso ci si innamora delle parole fino a abbassarle al rango dei luoghi comuni. Ma quello che si va dicendo da anni e cioè che questa è una regione che funziona da «ponte» tra l'area mediterranea e l'Europa continentale, per quanto spesso venga ripetuto anche a sproposito, non è affatto un concetto peregrino. Corrisponde a una realtà moderna e obiettiva. Ed è l'unico capace di sottrarre Trieste a un malinconico destino e di fornire una forte motivazione al lievito imprenditoriale del Friuli.

Dalle riflessioni sull'etnìa, sul paesaggio, sull'importanza delle forme di cultura di cui si alimenta questa regione nella sua dimensione attuale, ai problemi pratici legati alla vita di ogni giorno: sì, il passo è faticoso. Certo, meglio l'estasi e le meditazioni suggerite da una natura che ha finito per modellare gli uomini a propria immagine e somiglianza. Comunque anche le estasi e le meditazioni costituiscono un aspetto di quella realtà che fa del Friuli-Venezia Giulia un angolo d'Italia a se stante. Appunto quel piccolo universo di cui parlava Ippolito Nievo e che per fortuna si è mantenuto abbastanza intatto, nonostante una certa barbarie dei tempi.

Luciana Jorio

is a Region which acts as a «bridge» between the Mediterranean area and continental Europe, no matter how often it is repeated out of context, is by no means an outlandish concept. It corresponds to an objective, contemporary fact of life. It is the only concept which can save Trieste from a sad fate and offer a strong incentive to the entrepreneurs of Friuli.

From reflections on the ethnology, landscape and importance of the forms of culture which sustain this Region in its present shape, to the practical problems of everyday life is an exhausting step. Naturally, one prefers the emotion and meditation evoked by a landscape which in the long run has shaped man in its own image and likeness. Nevertheless, emotion and meditation, too, constitute one aspect of what makes Friuli-Venezia Giulia a unique corner of Italy. It is precisely the little universe of which Ippolito Nievo spoke and which, fortunately, has been preserved more or less intact, despite the ravages of time.

Luciana Jorio

◁1. *Val di Resia.* Il luccichìo, come di reti tramate dall'autunno in colori d'oro e di rame sulle grafie del bosco, dice l'incanto d'una terra che offre itinerari di sogno.
Tappeti spessi di foglie fanno morbido il silenzio.

2. Val d'Aupa. Foreste di larici e d'abeti in una delle più belle vallate di Moggio Udinese.

1. Val di Resia. *The glinting of autumn's webs woven in gold and copper tones over the lines of the woods tells of magical walks through a dreamland. Thick carpets of leaves soften the silence.*

2. Val d'Aupa. *Forests of larch and fir in one of Moggio Udinese's most beautiful valleys.*

3. *Iôf di Montasio.* La lunga mano d'ombra accende il contrasto abbagliante delle pareti di sasso, regno incontrastato del camoscio e del capriolo.
Sugli altipiani l'idillio delle malghe si è arricchito di contenuti economici.
Da questa zona, infatti, prende nome un formaggio (è, appunto, il Montasio), in cui pare racchiuso l'aroma dei sapori alpini.

3. Iôf di Montasio. *A long hand of shadow sets off a dazzling contrast with the rock faces, where chamois and roe deer reign unchallenged. On the plateaux, the idyll of the summer pastures has been complemented by economic activity. A cheese which contains all the tastes of the Alps takes its name from this area. It, too, is called Montasio.*

4.5. *Andreis.* Quando la natura diventa apparizione magica, alberi e arbusti perdono consistenza e si trasformano in miraggi di favola lunare.
Forse fu questo lo scenario offertosi all'ariostesco personaggio di Astolfo, dopo il folle volo sull'ippogrifo, nel pianeta che custodisce il senno degli uomini.

4.5. Andreis. *When Nature becomes a magical apparition, trees and bushes lose their substantiality and are transformed into moonscape mirages. This was perhaps the scene which presented itself to Astolfo, the character in Ariosto, after his mad flight on the hippogriff to the planet which holds men's wits in safekeeping.*

La meraviglia sospesa di un ramo spogliato dall'inverno che rende crudi i giorni della montagna friulana è come un calligramma in filigrana d'argento.
Nell'aria rarefatta, sulla lontana eco d'indefiniti paesaggi, crepitano preziosi arabeschi di ghiaccio.

The suspended marvel of a branch stripped bare by the winter which makes the days in the mountains of Friuli bitingly cold is like silver filigreed calligraphy. The rarefied air carries the crackling of exquisite arabesques of ice on the far-off echo of invisible landscapes.

6. *Sella Nevea*. Il fascino bianco della montagna friulana è diventato importante elemento di richiamo turistico.
Sella Nevea è uno dei cinque poli di sviluppo degli sports invernali nella regione. Grazie all'ottimo innevamento gli impianti restano aperti fino all'estate.
L'ampiezza del panorama si arricchisce di prospettive solenni. La funivia consente di giungere in pochi minuti ai piedi del nevaio perenne di Conca Prevala e di vivere un'avventura visiva dispiegantesi con sinfonica complessità d'immagini.

6. Sella Nevea. *The snow-white fascination of the mountains of Friuli has become an important tourist attraction. Sella Nevea is one of the five winter sports development centres in the Region. Thanks to excellent snowfalls, the ski-lifts remain open until summer.*
The breadth of the panorama is enhanced by awe-inspiring perspectives. The cable car allows one to be at the foot of the eternal snows of Conca Prevala in only a few minutes and to experience a visual adventure which unfolds in an intricate symphony of images.

7. *Rifugio Celso Gilberti*. Situato a quota m. 1850 nel Gruppo del Canin domina il Vallon di Prevala. Raggiungibile facilmente dalla stazione a monte della funivia di Sella Nevea, il rifugio è il punto di partenza per quanti, attraversando il nevaio e seguendo l'impegnativa via attrezzata "Julia", intendono arrivare alla vetta del monte Canin.

7. Celso Gilberti Refuge. *Situated at an altitude of 1,850 m. in the Mount Canin Group, it dominates the Vallon di Prevala. Easily accessible from the station at the top of the Sella Nevea cable car run, the refuge is the starting point for those who intend arriving at the summit of Mount Canin, crossing the snowfield and following the challenging equipped "Julia" track.*

8.9. *Sella Nevea*. Sull'immenso lenzuolo di candore, mosso e agitato come da folate di un vento misterioso, le nitide policromie degli sciatori tracciano mobili e festosi ricami.
Lo spazio si perde in un indefinito senza misura.

8.9. Sella Nevea. *The clear, multicoloured figures of skiers stitch a bright, moving embroidery on an immense white sheet, fluttering in the gusts of some mysterious wind. Space is lost in a boundless infinity.*

Piste di discesa e di fondo sulle quali è bello lasciarsi andare nell'ebbrezza della corsa che disegna sulla neve grovigli di astratti disegni. È uno scivolare via rapidissimo e tacito e tutto si trasforma nel ritmo di una danza sognata a occhi aperti.

The excitement of letting oneself go on downhill and cross-country pistes in the exhilaration of speed traces tangles of abstract patterns on the snow. A swift, silent slide away and everything is transformed in the rhythm of a waking dream dance.

10.11. Tarvisio. Una fuga di piani a perdita d'occhio e montagne dissolte in banchi di nubi.
Chiazze vivide di sole e anfratti d'ombra. Un nuovo giorno ha inizio ed è come godere, per la prima volta, la bellezza del mondo.

10.11. Tarvisio. *A sequence of perspectives stretches as far as the eye can see, with mountains dissolving into cloudbanks. Bright patches of sunlight and ravines in shade. A new day has begun and it is as if we are enjoying the beauty of the world for the first time.*

12. *Monte Santo di Lussari*. La luce è di cristallo puro e incide con limpidezza scheletri attoniti di piante. In vetta, il santuario della Madonna di Lussari è meta del devoto pellegrinaggio di tre popoli: l'italiano, il tedesco e lo sloveno. E il tempo segna pause d'estatica immobilità.

12. Monte Santo di Lussari. *The light is pure as crystal and cuts cleanly into the astonished, skeletal trees. At the summit, the sanctuary of Our Lady of Lussari is the destination of devout pilgrims of three races, Italians, Germans and Slovenes. Time measures moments of motionless ecstasy.*

13. Tarvisio. La tradizione turistica del Tarvisiano risale all'ultimo quarto dell'Ottocento.
Area di frontiera e di traffici, non è seconda a nessuno per attrezzature e per impianti confortevoli e moderni.

13. Tarvisio. *The tourist tradition in the Tarvisio area goes back to the last quarter of the nineteenth century. It is a frontier zone, a zone of passage and second to none for its infrastructures and comfortable, modern ski-lifts.*

14.15.16.17.18. *Tarvisio.* Sono migliaia, ogni anno, i partecipanti allo Ski-Tour, il triangolare di fondo organizzato in collaborazione fra Italia, Austria e Jugoslavia. Il percorso «senza frontiere» si snoda per trenta chilometri di pendìi, salitelle, abetaie.

14.15.16.17.18. Tarvisio. *Thousands of people take part every year in the Ski-Tour, the three-sided cross-country skiing contest organised jointly by Italy, Austria and Yugoslavia. The course «without frontiers» winds over thirty kilometres of slopes, hillocks and fir woods.*

Nel pomeriggio, dopo l'entusiasmo delle gare, lo Ski-Tour si trasforma in una grande sagra. Concerti bandistici, vociare festoso in lingue e dialetti molteplici, violenti caleidoscopi di colori movimentano la piazza centrale di Tarvisio, dominata dalle linee gotiche della parrocchiale.

In the afternoon, after the excitement of the races, the Ski-Tour becomes a great festival. Band concerts, happy shouts in many languages and dialects and gaudy caleidoscopes of colour enliven Tarvisio's main square, dominated by the Gothic lines of the parish church.

19.20. *Fusine Laghi.* Sosta dopo un'escursione nel parco regionale di Fusine. I sentieri si addentrano in foreste d'abeti, tra macchie di mirtilli, dafni e maggiociondoli e cespi d'anemoni, lamponi, fragole ed ellebori.
Dalla trasparenza verde del lago si eleva un'ala di quiete.

19.20. Lakes of Fusine. *A rest after an excursion in Fusine regional park. The paths take you into forests of firs between thickets of bilberry, laurel and laburnums, and clumps of anemones, wild raspberries, strawberries and hellebore. A wave of peace rises up from the clear, green depths of the lake.*

Scintillìi tempestati di diamanti in uno scenario di nordica leggenda. I profili dei monti sono come corpi di giganti a guardia di un tesoro fatato.
Tra il Lago Superiore e quello Inferiore di Fusine le acque comunicano per vie sotterranee.

Diamond-studded flashes of light in a setting from Nordic legend. The silhouettes of the mountains are like giants guarding an enchanted treasure trove. The waters of the Upper Lake filter through underground to the Lower Lake.

21. *Camporosso.* Camporosso sorge sullo spartiacque che divide il bacino fluviale del versante adriatico da quello dei fiumi che, dopo un lunghissimo percorso, sfociano nel Mar Nero. È dunque il simbolo di una «situazione» di confine, ma anche di incontro tra civiltà diverse, propria di tutta la regione.

21. Camporosso. *Camporosso is situated on the watershed which divides the river basin of the Adriatic from that of the rivers which flow into the Black Sea at the end of their long journey. It is therefore symbolic of a border setting as well as of the meeting of different civilisations, which is also true of the whole Region.*

22. *Ugovizza.* Sembra un paese di bambole. Eppure gli argini sul rio Uqua testimoniano della lotta difficile con una natura non sempre amica.
Al centro della prospettiva fiorita di case si erge uno dei campanili più antichi della vallata.

22. Ugovizza. *It looks like a doll's village and yet the embankments on the Uqua river bear witness to a difficult struggle with an environment which is not always well-disposed. In the middle of this view adorned with local houses rises one of the oldest bell-towers in the valley.*

23. *Val d'Aupa*. Malghe e casere hanno una discrezione remota sullo smeraldo pettinato dei prati. Il rapporto dell'uomo con l'ambiente, pur tra difficoltà e ostacoli superati con sofferenza, tenacia e ostinato coraggio, è riuscito a mantenere intatti equilibri.

23. Val d'Aupa. *Alpine chalets and dairies stand out in the distance against the carefully groomed emerald pastures. Man, despite difficulties and obstacles overcome with suffering, tenacity and stubborn courage, has managed to maintain a balance in his relationship with his environment.*

24. *Stolvizza*. La vallata di Resia, ai piedi del Canin, è inondata di sole e di verde.
La popolazione trae origine da un antico ceppo slavo. L'insediamento, avvenuto alcuni secoli fa, in luoghi così impervi e splendidi, è avvolto in un alone di leggenda. Parlata e tradizioni esprimono l'unicità di un'isola d'etnìa e di cultura.

24. Stolvizza. *The Resia valley at the foot of Mount Canin is flooded with sunlight and greenery. The inhabitants are originally of an ancient Slav stock. The settlement of the valley in such a splendidly inaccessible place, which happened several centuries ago, is wrapped in an aura of legend. Speech and traditions demonstrate the uniqueness of an ethnic and cultural island.*

25. *Zuglio*. Tra prati e orti appaiono all'improvviso i resti di colonne butterate dal tempo del foro di «Julium Carnicum», caposaldo romano sulla via «Julia Augusta» collegante Aquileia al Norico.

26. *San Pietro di Carnia*. Possente nella sua struttura gotica, con il campanile a cipolla punto di riferimento per le genti del But, la pieve «matrice» di San Pietro si innalza sulla sommità del colle dove gli abitanti di «Julium Carnicum» cercavano rifugio dalle scorrerie barbariche.

25. Zuglio. *Unexpectedly, from among the meadows and vegetable gardens, emerge the remains of the time-scarred columns of the forum of «Julium Carnicum», a Roman outpost on the Via Julia Augusta which linked Aquileia to Noricum.*

26. San Pietro di Carnia. *With its imposing Gothic structure and onion-shaped bell-tower which is a landmark for But valley inhabitants, the main parish church of St. Peter's rises up on the hilltop where the citizens of «Julium Carnicum» sought refuge from barbarian raids.*

27.28.29.30.31. *San Pietro di Carnia, bacio delle croci.* All'Ascensione esplode in montagna la primavera. Salgono allora verso la pieve di San Pietro da tutte le chiese della vallata, per sentieri teneri di foglie, le croci fiorite di serici nastri multicolori che cingevano, il giorno delle nozze, i fianchi delle spose.

27.28.29.30.31. San Pietro di Carnia. Kissing of the Crosses. *At Ascension, spring bursts forth in the mountains. At this time, crosses decorated with the multicoloured silk ribbons which local brides wore round their hips on their wedding day come up to the parish church of St. Peter's from all the churches in the valley.*

«Chiesa di Cedarchis!...». Alla chiamata del preposito di San Pietro i crociferari si avvicinano, uno alla volta, al crocifisso d'argento della pieve. I due simboli si toccano. È la cerimonia del «bacio», come omaggio solenne e remoto alla più antica sede del cristianesimo in Carnia. Poi il sacerdote invoca la benedizione sui raccolti dell'annata.

«Cedarchis church!...». In response to the call of the priest of St. Peter's, the cross-bearers, one at a time, approach the silver crucifix of the parish. The two symbols touch. It is the ceremony of the «kiss», a solemn, time-honoured homage to the most ancient centre of Christianity in Carnia. Then the priest invokes a blessing on the year's harvest.

32.33. Ravascletto. Fazzoletti di orti orlati dal brivido argenteo delle chiome nuove degli alberi. Sulla scena d'idillio arcadico contrasta la grigia e grumosa consistenza d'una terra avara, nella quale tuttavia affondano le radici di quanti, con un lavoro duro, lottano per conservare la propria identità nei luoghi della nascita.

32.33. Ravascletto. *Vegetable gardens like handkerchiefs edged with the silvery thrill of the trees' new foliage. In contrast with this idyllic, Arcadian scene is the grey, lumpy consistency of the barren earth. Here, however, those who struggle to preserve their identity in their birthplace through hard work have put down their roots.*

Il gioco dei tetti come in una scomposizione cubista.
E, intorno, lo sbocciare fragrante e aereo degli alberi di melo.
La flora vive il suo momento di grazia e si dispiega in accenti di
festa innocente, di purezza quasi infantile.

The interplay of the roofs is like a Cubist decomposition. All around,
apple-trees blossom with ethereal fragrance. Flowers are living their
moment of grace and unfold in tones of innocent joy, of almost
child-like purity.

34.35. *Povolaro di Comeglians.* La casa fa parte integrante del paesaggio carnico. Accanto agli edifici rustici, spiccano le eleganti architetture dei palazzetti, dalle facciate squisitamente decorate e le profilature e i portali in pietra lavorata.
Originali le coperture a «scandule», e cioè tavolette di legno o tegole piatte, dipinte a smalto.

34.35. Povolaro di Comeglians. *Houses are an integral part of the Carnian landscape. Near rustic buildings, the elegant architecture of mansions may be noted, with exquisitely decorated façades and edgings, and portals of sculptured stone. The «scandule» roofing, glazed wooden planks or flat tiles, is original.*

36.37. *Zoncolan*. Posta tra Ravascletto e Sutrio, l'area dello Zoncolan è un altro gioiello del turismo invernale nella regione. Funivia, seggiovie, sciovie, alberghi, fanno della «regina della Valcalda» una mèta ideale di sport e di vacanza.

36.37. Zoncolan. *Lying between Ravascletto and Sutrio, the Zoncolan area is another jewel of winter tourism in the Region. A cable car, chair-lifts, ski-lifts and hotels make the «Queen of Valcalda» an ideal destination for sport and relaxation alike.*

Incontro lieto di generazioni: i bambini a prendere confidenza con le prime discese, gli adulti a cimentarsi in percorsi impegnativi. Per tutti il piacere di respirare l'aroma pungente e un po' amaro della neve, di riempirsi gli occhi e l'animo di una chiarità smagliante stagliata sull'azzurro.

A happy meeting of generations: children gain confidence on their first descents while adults tackle more demanding routes. For everyone, there is the pleasure of breathing in the sharp, slightly bitter tang of the snow and feasting the eyes and spirits on the dazzling brilliance outlined against the blue.

38.39. *Gracco di Rigolato*. Un'atmosfera quasi d'attesa e tante finestre che sembrano occhi spalancati su un futuro ignoto. Le case del borgo, compatte come fortilizi, si allungano sul pendìo bagnate dall'ultimo sole della stagione. Sullo sfondo rosseggia una cascata di faggi e d'abeti.

38.39. Gracco di Rigolato. *An atmosphere almost of anticipation and a profusion of windows which look like eyes opened wide onto an unknown future. The village houses, as compact as little fortresses, stretch out along the slope basking in the last sunshine of the season. Russet beech and fir trees form a cascade in the background.*

È arrivato l'inverno. Lievi colori di pastello rompono l'uniformità. Nei lunghi mesi del freddo il tepore rassicurante del focolare acuisce la nostalgia per quanti sono andati lontano; e negli emigrati la memoria del paese è un nido di desideri e di rimpianti.

Winter is here. Pastel colours relieve the monotony. In the long, cold months, the cosy warmth of the fireplace sharpens nostalgia for those far from home. For emigrants, the memory of their village is a source of longing and regret.

40. *Val Pesarina*. Case scure e ferrigne di Pesariis con un sapore di aspro raccoglimento e di remota ombrosa diffidenza.
Ma è sufficiente una manciata di corolle bianche sparse sul bruno della terra per sciogliere la confidenza amabile di un sorriso.

40. Val Pesarina. *The dark, iron-grey houses of Pesariis breathe an air of remorseless concentration and distant, shadowy diffidence. But a handful of white petals scattered over the brown earth is enough to unlock the friendly intimacy of a smile.*

41. *Cesclàns*. I campi incassati a valle si fregiano di fitti reticoli di passamanerie e di ricami vegetali. L'opera dell'uomo costruisce il paesaggio con interventi anonimi di « arte povera », senza manifesti né proclami estetici. La bellezza è il risultato di un bisogno di vita.

41. Cesclàns. *The deep-sunk fields down the valley boast a thick network of verdant trimmings and embroidery. Man's efforts construct a landscape with anonymous works of «poor art», without aesthetic manifestos or programmes. Beauty is the result of vital necessity.*

42. *Ampezzo.* Lo sguardo si riempie di spazi, il fiume compone il suo articolato poema con movimenti larghi e robusti, sui quali si sviluppa il fluire melodico di strade, di borghi e paesi. La discreta presenza di qualche opificio dice il desiderio di rompere l'immobilità del tempo.

42. Ampezzo. *The view is full of open spaces and the river composes its multiform canvas in wide, strong strokes, along which the harmonious lines of roads, villages and towns unfold. The discreet presence of the occasional factory hints at a desire to break the spell of time's immobility.*

43. *Valle del Tagliamento dal Monte Rest.* I primi passi del Tagliamento, sceso da poco dalle sorgenti del monte Miaron, vicine al passo della Mauria.
Si insinua ancora a fatica tra dossali vellutati o irsuti, prima di compiere il grande balzo verso i regni sconfinati della pianura.

43. Tagliamento Valley from Mount Rest. *The Tagliamento's first steps, near its source on Mount Miaron close to the Mauria pass. It is still struggling down velvety or prickly slopes before making the great leap to the boundless kingdoms of the plain.*

44. *Lago di Sauris*. Ha tinte variegate di topazio il lago formato dallo sbarramento artificiale per usi idroelettrici sul torrente Lumiei. Nelle giornate di sereno traspaiono dalla bacheca delle acque le case della borgata sommersa. E qualcuno dice di udire rintocchi di campana.

45. *Valle del Lumiei*. Il torrente ha scavato nei millenni un orrido di vertigine. Tra i sassi brilla gelida la corrente. Fino ad alcuni decenni fa arrivare quassù era un'avventura.
Eppure l'uomo ha saputo trovare anche in contrade difficili e dimenticate ragioni di vita e d'amore.

44. Lake Sauris. *The lake formed by an artificial barrage on the Lumiei torrent for hydroelectric purposes flashes several shades of topaz. On calm days, the waters are a showcase for the houses of the submerged village. Some say they can hear the tolling of a bell.*

45. Lumiei Valley. *Over the millennia, the torrent has carved out a vertiginous ravine. The water coldly sparkles among the rocks. Until a few decades ago, it was an adventure to come here. Man has nevertheless been able to find a reason to live and love even in remote, forgotten lands.*

46. *Clavàis.* La montagna invernale non è soltanto quella dei centri turistici pullulanti di forestieri, di suoni, di movimento. C'è una montagna più intima e nascosta.
È quella scandita dai quotidiani ritmi interiori. Essa appartiene all'alpigiano e va scoperta con discrezione, sottovoce.

46. Clavàis. *The mountain in winter is not just tourist resorts teeming with visitors, sound and movement. There is a more intimate, hidden mountain which measures time by the beat of inner, daily rhythms. It belongs to the mountain dwellers and should be explored discreetly, with a hushed voice.*

47. *Sauris di Sopra*. Il corteo scuro d'un funerale: nulla è cambiato rispetto a sessant'anni fa, quando il pittore friulano Giovanni Pellis, innamorato di Sauris, dipinse un quadro ispirato al medesimo soggetto. Anche il lungo snodarsi dei fedeli sotto la chiesa sembra uscito dalla tela dell'artista.

47. Sauris di Sopra. *The dark procession of a funeral. Nothing has changed since sixty years ago, when the Friulian painter, Giovanni Pellis, who loved Sauris, painted a picture inspired by the same subject. The long cortège of mourners at the church seems to have come straight out of the artist's canvas.*

48. *Sauris di Sopra*. Il comune di Sauris è uno dei più alti dell'alpe friulana. Vi si parla un antico dialetto tedesco-bavarese con influssi locali, conservato intatto in un isolamento di secoli.
La gente è fiera e gelosa del proprio idioma e delle proprie tradizioni.

48. Sauris di Sopra. *The municipality of Sauris is one of the highest in the Friulian Alps. An ancient Bavarian-German dialect with local influences is spoken, preserved intact by centuries of isolation. The people are proud of their idiom and traditions.*

49. Sauris di Sotto. Le case in legno di Sauris, alleggerite da terrazzi, griglie, balconate, sono documenti rarissimi d'architettura spontanea. Tipiche anche alcune specialità gastronomiche: il prosciutto affumicato con braci di ginepro e di mugo, la ricotta insapidita ai fumi di pino e di faggio, la grappa intrisa d'aromi di germogli di mugo.

49. Sauris di Sotto. *The wooden houses of Sauris, rendered lighter by balconies, grilles and verandahs, are rare examples of spontaneous architecture. Some gastronomic specialities are typical – ham smoked over coals of juniper and Swiss mountain pine, cottage cheese seasoned with pine and beech smoke, and grappa flavoured with the fragrance of Swiss mountain pine buds.*

50.51. *Villa Santina*. Anche l'arte del legno è molto diffusa, quale espressione dell'ambiente e, forse, la più adatta a stimolare la fantasia degli artigiani. Decorati con finissimi intagli, mobili e cassepanche ornano case povere e ricche. Il lavoro prosegue nelle botteghe delle valli, adattando, spesso, le forme della tradizione al «design» contemporaneo.

50.51. Villa Santina. *Woodworking is widely practised as an expression of the environment and, perhaps, because it is best suited to stimulate the imagination of the craftsmen. Furniture and chests decorated with intricate carvings grace the houses of rich and poor. Work continues in the workshops of the valleys, often adapting traditional forms to contemporary styling.*

La tessitura era l'«oro» della Carnia. Nel Settecento l'azienda di Jacopo Linussio occupava tremila operai. Le sue stoffe arrivavano fino alle corti di Vienna e di Pietroburgo.
Oggi la tradizione continua. Con la canapa, il lino, la lana, la seta e il cotone si producono tessuti di una grazia ruvida, preziosa ed evocativa.

Weaving was Carnia's «gold». In the eighteenth century, Jacopo Linussio's firm gave work to three thousand workers. His cloth reached the courts of Vienna and St. Petersburg. Today, the tradition carries on. Cloth of a rugged, yet delicate, evocative charm is produced from hemp, linen, wool, silk and cotton.

52.53. *Tolmezzo*. Il maggiore artista della Carnia fu, nel Settecento, Nicola Grassi. Le sue opere testimoniano, da un lato, sintonia con la felice stagione dell'arte veneta, dall'altro sottolineano una forte componente popolare e realistica d'estrazione locale. Tolmezzo ha dedicato al maestro una grande mostra nella limpida impaginazione di palazzo Frisacco.

52.53. Tolmezzo. *Carnia's greatest artist in the eighteenth century was Nicola Grassi. His works both bear witness to an understanding of the great years of Venetian art and emphasize a strong popular, realistic element of local extraction. Tolmezzo has dedicated a large exhibition to the master painter in the elegant setting of Palazzo Frisacco.*

L'acutezza delle fisionomie e delle venature psicologiche, l'immediatezza degli atteggiamenti, dicono come il Grassi scegliesse a modelli i volti della sua gente.
Artigiani, contadini, pastori si ammantano delle vesti dei personaggi sacri e inverano nella storia quotidiana un'appassionata galleria di caratteri tratti dal Vangelo.

The insight in the faces and psychological touches and the immediacy of the attitudes tell us that Grassi chose the features of his own people as models. Craftsmen, peasants and shepherds don the clothes of holy characters and give the truth of everyday life to a passionate gallery of Gospel figures.

54.55. *Forni di Sopra.* Forme intagliate al vivo, di radice nordica, fulgore metallico di colori veneziani, inanellarsi arricciato di linee. Durezza e fragranza, drammaticità e poesia: l'anima e la cultura di un popolo negli affreschi di Gianfrancesco da Tolmezzo dipinti agli albori del Cinquecento, nel pieno della rinascenza friulana. Drappeggi infuocati di gerani sui ballatoi lignei, la fontana di pietra simbolo di civile convivenza; era infatti luogo d'incontri e di conversazioni.

54.55. Forni di Sopra. *Life-like shapes with northern roots, the metallic sheen of Venetian colours and interlocking curlicues. Firmness and fragrance, drama and poetry – we find the soul and culture of a people in the frescoes of Gianfrancesco da Tolmezzo, painted at the very beginning of the sixteenth century, at the height of the Friulian renaissance. Fiery expanses of geraniums top wooden balconies and the stone fountain is a symbol of civilized living. It was a place to meet and talk.*

56.57. *Forni di Sopra*. Il paesaggio ha un'impennata da brivido. Sulle pareti scoscese, sulle cime aguzze e seghettate delle prime dolomiti si impigliano cumuli di nubi.
Il legno resta sempre un'importante risorsa nell'economia alpina. Un tempo i tronchi venivano fatti scendere a valle lungo i fiumi, uniti in gigantesche zattere.
A condurli erano gli «zatârs». Le loro storie delineano scenari di vaga e sfumata leggenda in alcuni romanzi friulani di Carlo Sgorlon.

56.57. Forni di Sopra. *The landscape has a thrilling surge. Cloudbanks become entangled on the sheer cliffs and sharp, saw-toothed peaks of the first Dolomites. Timber has always been an important resource in the Alpine economy. At one time, the logs were sent downstream along the rivers, lashed together into great rafts. The «zatâr» raftsmen sailed them and their stories sketch scenes of soft, hazy legend in several of Carlo Sgorlon's Friulian novels.*

58.59. *Forni di Sopra.* In pochi minuti di seggiovia si sale sul Clap Varmost, a 1.750 metri, l'ultimo arrivato tra i grandi centri sciistici del Friuli-Venezia Giulia, in uno splendore abbaccinante di sole e di neve, con il piacevole stordimento provocato da un'aria che l'altitudine fa fine e leggera.

58.59. Forni di Sopra. *In a few minutes, the chair-lift takes you up Clap Varmost to 1,750 metres, to the newest of Friuli-Venezia Giulia's great skiing resorts, into the dazzling light of sun and snow with the pleasant headiness brought on by the rarefied air at high altitudes.*

Un ultimo controllo agli attacchi degli sci, i consigli dei più esperti, uno sguardo al panorama, l'esitazione prima di affrontare le difficoltà della pista.
I problemi di tutti i giorni sono stati dimenticati per qualche ora. E ognuno sente in sé la stoffa del campione.

A last check of the ski-clamps, some expert tips, a look at the view and a moment's hesitation before facing the difficulties of the piste. Everyday problems are forgotten for a few hours. Everyone feels they have the makings of a champion.

60.61. *Barcis.* Le Prealpi Carniche, nel pordenonese, presentano caratteri molto interessanti sotto l'aspetto geologico, orografico e vegetazionale. Per favorirne lo studio l'Amministrazione regionale, proprio in comune di Barcis, ha creato la riserva orientata del bacino del Prescudin.

60.61. Barcis. *The Carnian Prealps in the province of Pordenone present interesting features from the geological, orographical and botanical points of view. The Regional Authority has, in the municipality of Barcis, created the Prescudin basin special reserve to foster their study.*

Lo specchio magico del lago, ricavato artificialmente dalle acque del torrente Cellina, rapisce al paese la sua immagine, per darsi un'illusione di vita. Ma basta il trascorrere di una nube per far sfumare parvenze labili di forme.

The magical mirror of the lake, created artificially with the waters of the Cellina torrent, steals the village's image to give itself an illusion of life. A passing cloud is enough to remove such fleeting traces of form.

62. *Campanile di Val Montanaia*. Lo slancio ascensionale del monòlito ha la nervosa imponenza d'una guglia gotica: rappresenta il momento culminante di una sorta di tensione mistica della montagna.

63. *Valcellina*. La millenaria azione erosiva dei ghiacci e del fiume Cellina ha modellato il «canyon» calcareo in sequenze selvagge. Solchi, nicchie, grotte spalancano fauci leonine. La valle scorre con un urlo cupo di fiera. Sul candore delle ghiaie l'acqua occhieggia in toni carichi di verde e di azzurro.

62. Val Montanaia Bell-Tower. *The vertical thrust of the monolith has the nervous grandeur of a Gothic spire. It represents the moment of climax of a kind of mystic mountain tension.*

63. Valcellina. *The erosive action of glaciers and the Cellina river over the millennia has sculptured the chalk canyon into a wild succession of shapes. Furrows, niches and caves open their leonine jaws. The valley hurries past with a dark cry of pride. On the white gravel, the water takes on deep hues of green and blue.*

64.65. *Piancavallo*. Adagiata in un'ampia conca del massiccio del monte Cavallo, la stazione turistica del pordenonese si è attrezzata, nel giro di pochi anni, per affrontare sia gli appuntamenti del pendolarismo da week-end, sia le prestigiose competizioni sportive nazionali e internazionali.

64.65. Piancavallo. *Lying in a broad hollow of the Mount Cavallo massif, this tourist resort in the province of Pordenone has, in just a few years, equipped itself to welcome both weekenders and prestigious national and international sporting events.*

«Inventato» completamente a tavolino, Piancavallo dimostra come il turismo costituisca una miniera d'oro per aree prima dimenticate. La progettazione unitaria ha favorito una dimensione architettonicamente omogenea, che interpreta con risultati esteticamente interessanti il colore ambientale in forme di funzionale ed elegante modernità.

Designed entirely from scratch, Piancavallo shows how tourism can be a goldmine for hitherto neglected areas. Integrated design has permitted a homogeneous architectural dimension which interprets the colour of the environment in lines of functional and elegant modernity with aesthetically interesting results.

◁ 66. *Vendoglio e Treppo Grande. Sullo sfondo le cime del Monte Musi.*
«Ma sui prati che silenzio porta la campana», scriveva Pierpaolo
Pasolini in una delle aurorali liriche della sua «meglio gioventù».
I monti sono una fulgida corona ormai lontana che cinge la pianura.
E in silenzio splende anche il cielo.

67. *Rive d'Arcano. L'autunno friulano ha giornate di cristallo.
I pioppi, le acacie, gli ontani incidono sui dossi la loro presenza
trepida.*

66. Vendoglio and Treppo Grande. In the background, the peaks of
Mount Musi. *«But what silence the bell brings over the meadows»
wrote Pierpaolo Pasolini in his «Better Youth» in one of the auroral
lyrics. The mountains are a splendid far-off crown which encircles
the plain. The sky, too, shines in silence.*

67. Rive d'Arcano. *Autumn in Friuli proffers crystal-clear days.
Poplars, acacias and alders signal their trembling presence on the
hillsides.*

68. San Daniele del Friuli. Abbarbicata su un colle stagliato con dolcezza di clivi sulla piana, immersa in un paesaggio rorido di morbidezza «toscana», San Daniele è un invito d'arte e di quiete. E nei suoi prosciutti famosi in tutto il mondo c'è il profumo dell'aria.

68. San Daniele del Friuli. *Clinging to a hill which rests gently on the plain and sunk in a landscape drenched in «Tuscan» mellowness, San Daniele is an invitation to art and peace. The perfume of the air suffuses its world-famous hams.*

INCIPIT LIBER MACHBEORVI.

T. FACTUM EST.

POSQÃ PCVSSIT ALEXANDER

philippi macedo. qui primus regnauit

69. *San Daniele del Friuli, codice della Biblioteca Guarneriana.* Le miniature sono «fiori di giardini segreti». Tra i codici più preziosi raccolti nel Quattrocento da Guarnerio d'Artegna c'è la «Biblia Sacra».

70. *San Daniele del Friuli. Chiesa di Sant'Antonio, affresco del Pellegrino di San Daniele.* Negli affreschi della chiesa di Sant'Antonio, Martino da Udine, più noto – come ricorda anche il Vasari – con il nome di Pellegrino da San Daniele, realizzò il suo capolavoro.

69. San Daniele del Friuli. Guarnerian Library Manuscript. *The miniatures are «flowers from secret gardens». Among the most valuable manuscripts collected in the fifteenth century by Guarniero d'Artegna is the «Biblia Sacra».*

70. San Daniele del Friuli. Church of St. Anthony's. Fresco by Pellegrino di San Daniele. *Martino da Udine, better known, as Vasari reminds us, by the name of Pellegrino di San Daniele, executed his masterpiece in the frescoes of the church of St. Anthony's.*

71.72. *Castelnovo del Friuli*. Stavolo, stalla, casa e fienile. Materiali umili: sassi e tavolaccio e pali. Progetti anonimi modellati dal bisogno di garantire una funzione vitale che livella le esigenze al minimo necessario. Ma c'è bellezza nella povertà delle forme elementari e il sole ride sul crinale.

71.72. Castelnovo del Friuli. *A stable, a byre, a house and a barn. Humble materials – stones, planks and poles. Anonymous designs inspired by the need to guarantee a vital function which reduces requirements to a bare minimum. There is, however, beauty in the poverty of elemental shapes and the sun shines on the crest.*

Donna china « come rosa sfogliata a guardare la terra ». L'immagine di Caterina Percoto riassume quella che è stata per secoli la condizione femminile da queste parti. Gli uomini dispersi per le strade del mondo, le donne ad alimentare, con sofferenza e fatica, le radici in una terra splendida e grama.

A woman bends « like a rose stripped of its petals to look at the ground ». This image of Caterina Percoto's summarizes what was for centuries the female condition in these parts. The men were scattered over the highways of the world and the women tended their roots, with suffering and effort, in a splendid, bleak land.

◁ 73. *Múris di Ragogna*. Ondulare di prati, appezzamenti bruni, spalliere d'alberi e siepi, geometrie di covoni, brusìo di borghi. Filtrate dall'ordito della memoria, le tarsie di un Friuli dell'anima si trasformano in ribollenti impasti astratti nella pittura di Afro, che trascorreva quassù le estati, a rinverdire le proprie origini.

73. Múris di Ragogna. *Rolling meadows, brown plots backing onto trees and hedgerows, patterns of haystacks and the hum of the villages. Filtering down through memory, the marquetry of a Friuli of the soul is transformed into a seething, abstract impasto in the paintings of Afro Basaldella, who spent his summers here to keep his roots vigorous.*

74. *Moruzzo*. Il lunedì di Pasqua le «immense radure, d'un verde ancora invernale, freddo e leggero», si animano «di gente che si diverte, gioca e corre». E ognuno porta in cuore «il sogno di una cosa».

75. *Lazzacco*. Il paesaggio del Friuli è articolato in tanti piccoli insediamenti, nei quali lo spirito della civiltà contadina non è moda «retrò» né letteraria nostalgia. Tra casolari e campagna si stabilisce, allora, una stretta simbiosi.

74. Moruzzo. *On Easter Monday, the «huge clearings of a still wintery green, cold and light» are animated by «people enjoying themselves, playing and running». Everyone carries in his heart «a dream of something».*

75. Lazzacco. *The landscape of Friuli unfolds in numerous tiny settlements where the spirit of peasant civilisation is not just a fashionable throwback or mere literary nostalgia. There is still a close symbiosis between the farmhouses and the countryside.*

76.77. Moruzzo. Filari di gelsi si intrecciano fra i solchi. Introdotta nel Settecento con l'allevamento del baco da seta, la pianta ha oggi perduto rilievo economico. Con le sue drammatiche nodosità è rimasta simbolo e monumento d'una realtà patriarcale legata, negli anziani, all'età dell'infanzia.

76.77. Moruzzo. *Rows of mulberry trees intersperse the furrows. Introduced in the eighteenth century along with the cultivation of the silkworm, the tree today has lost its economic importance. With its impressive knots, it remains a symbol of and monument to a patriarchal way of life which, for older people, recalls their childhood.*

Dalla parte dei colli, intorno all'erba bruciata dal freddo, tra fumate grigie e leggere di rami spogliati, i gelsi sfilano come cortei processionali di pellegrini.
Forse una mano, presto, li troncherà. Restano i grumi di memoria delle ceppaie.

The mulberry trees march past like processions of pilgrims towards the hills around the cold-scorched grass through the faint, grey wisps of bare branches. Perhaps someone will cut them down soon, leaving only the stumps to catch in the memory.

78.79. *Gemona, il duomo*. E un'immagine di memoria è questo interno del duomo di Gemona devastato dai terremoti del 6 maggio e del 15 settembre 1976. Con le mille vittime, le case, le fabbriche, una parte rilevante del patrimonio culturale è stata compromessa. Ma la volontà dei friulani e la solidarietà del Paese hanno accelerato la ripresa. Ora anche il tempio sta risorgendo dalle rovine.

Potenza e mistero nel gigantesco San Cristoforo scolpito con la forza di una fede popolare sulla facciata del duomo. Lo sguardo solenne ed enigmatico, rimasto impassibile davanti al secolare scorrere di tragedie, ha resistito all'urto del terremoto con una saldezza emblematica per tutta la comunità.

78.79. Gemona. The Cathedral. *This view of the interior of the cathedral of Gemona is an image from memory, for it was devastated by the earthquakes of 6th May and 15th September, 1976. Together with the thousand victims, the houses and the factories, a large part of the cultural heritage was jeopardised. However, the will of the people of Friuli and the solidarity of the nation speeded recovery. Now the cathedral, too, has risen up from the ruins.*

There is power and mystery in the gigantic Saint Christopher carved with all the vigour of popular faith on the cathedral façade. The solemn, enigmatic expression, unmoved before the tragedies that have occurred over the centuries, resisted the earthquake's blows with a steadfastness that was emblematic of the whole community.

◁ *80. Collio - 81.82.83.84.85. Colli Orientali del Friuli.* A difesa dei lembi residui di antiche foreste collinari, i parchi regionali di Bosco Romagno e Plessiva conservano intatti profumi d'Arcadia. Querce, carpini, ornielli, castagni, frassini addensano profondità di ombre su valli e crinali.
Tracce di torri sfumano nelle brume. Ma l'intervento dell'uomo ha modificato integralmente gran parte dell'ambiente naturale.

80. Collio - 81.82.83.84.85. Colli Orientali del Friuli. *In defence of the last remnants of ancient hillside forests, the regional parks of Bosco Romagno and Plessiva preserve intact the perfumes of Arcadia. Oaks, hornbeams, manna ash, chestnuts and ash spread their thickening depths of shadow over valleys and ridges. Glimpses of towers are lost in the mists. Man's intervention has, however, fundamentally modified much of the natural environment.*

Spianati i boschi, sono stati tracciati anfiteatri di terrazze digradanti tenute a vigneto. Il «vigneto chiamato Friuli» ha per protagonista il contadino al centro dei filari. Rinverdendo tradizioni risalenti all'epoca romana (il vino Pucino del Timavo fu lodato da Plinio il Vecchio), un'enologia razionale e moderna ha portato «bianchi» e «rossi» a livelli ovunque apprezzati. Nel loro sapido aroma è racchiuso lo spirito d'una terra.

After the destruction of the forests, amphitheatres of stepped terraces were planted with vines. The «vineyard that is Friuli» has as its main character the agricultural worker in his rows of vines. Renewing traditions that go back to Roman times (Pliny the Elder praised Pucinum wine from Timavo), rational modern oenology has brought «whites» and «reds» to levels appreciated everywhere. Their pungent bouquet contains the spirit of the land.

86. *Somplago*. Con slancio che la retorica direbbe epico, l'autostrada per Tarvisio è uno degli elementi che consentono al Friuli-Venezia Giulia di realizzare tradizionali vocazioni europee.
L'incontro fra cultura rurale e sviluppo tecnologico crea nuovi paesaggi.

86. Somplago. *With a momentum which we might rhetorically call epic, the motorway to Tarvisio is one of the elements which allow Friuli-Venezia Giulia to realise its traditional European vocation. This meeting of a rural culture with state-of-the-art technology creates new landscapes.*

87. *Lago di Cavazzo.* L'ardito viadotto dell'autostrada passa sull'azzurro specchio del lago di Cavazzo incastonato fra i monti. L'intervento «artificiale», con la sua bianca linearità funzionale, evidenzia polemicamente l'aspra bellezza del paesaggio naturale.

87. Lake of Cavazzo. *The breathtaking motorway viaduct crosses the blue waters of the Lake of Cavazzo, set among the mountains. This artificial intervention of functional, white linearity controversially highlights the harsh beauty of the natural landscape.*

88. *Pordenone, corso Vittorio Emanuele.* La fitta tramatura di portici e di facciate di case e palazzi, con lo snodarsi modulato di mobili prospettive dominate dalla svettante mole del campanile romanico-gotico del duomo, rinserra il cuore della storia pordenonese. Signoreggiata da Baviera, Carinzia, Stiria e dagli Asburgo, la città fu poi di Venezia.

88. Pordenone. Corso Vittorio Emanuele. *The closely interwoven porticos and façades of houses and palazzos, and the measured unfolding of shifting perspectives dominated by the towering bulk of the Romanesque-Gothic bell-tower of the cathedral contain the heart of Pordenone's history. After having been ruled by Bavaria, Carinthia, Styria and the Hapsburgs, the town then passed to Venice.*

89. *Pordenone.* Intorno al centro storico è sorta un'altra città, di cemento, marmi e vetrate. Le geometriche maglie architettoniche razionaliste e funzionali affermano l'intensa crescita industriale del capoluogo del Friuli Occidentale, divenuto polo economico di primaria importanza.

89. Pordenone. *A new town of cement, marble and glass has grown up around the historical centre. The schematically rationalist and functional architectural relationships underline the intense industrial growth of the main town of western Friuli. Pordenone has now become an economic centre of primary importance.*

90. *Pordenone, corso Vittorio Emanuele.* Frammenti dilavati di affreschi parietali, monofore e trifore gotiche e un'impaginazione scenografica seicentesca sensibile al dinamismo pittorico dell'architetto veneziano Baldassarre Longhena: quando l'arte trasforma i prospetti edilizi in arazzi.

90. Pordenone. Corso Vittorio Emanuele. *Washed out fragments of mural frescoes, Gothic windows with one and three lights and a theatrical, seventeenth century structure which renders the dynamic pictorial art of the Venetian architect, Baldassarre Longhena. Art transforms the façades of buildings into tapestries.*

91. *Pordenone, il duomo*. Tra quinte di balaustre in pietra d'Istria e spigoli di cotto la luminosa facciata del duomo con il portale veneto-lombardesco di Antonio Pilacorte. Le sculture, il profilo nitido della lunetta, gli stipiti a candelabro si delineano su uno sfondo di metafisica assorta purezza.
Due motivi circolari scandiscono lo spazio.

91. Pordenone. The Cathedral. *From behind wings formed by balustrades of Istrian stone and corners of brickwork, the cathedral façade with its Venetian-Lombardesque portals by Antonio Pilacorte takes the stage. The statues, the crisp profile of the lunette and the candelabra door jambs stand out against a backcloth of concentrated metaphysical purity. Two circular motifs shape the space.*

92.93. *Pordenone.* Patine di medioevo in vicoli e slarghi del quartiere antico. Il palpito d'una giacca rossa marezzata di luce suscita echi di costumi tizianeschi.
Dipingere le pietre scritte dai secoli può essere un modo per illudersi di scavare nella bellezza del tempo. Tappeti di azalee, arbusti di rose e d'ulivi portano nella vecchia anima della città la fiammata primaverile dei giardini.

92.93. Pordenone. *There is a medieval sheen to the lanes and open spaces of the old quarter. The thrill of a red jacket marbled with light echoes the costumes of Titian. Painting the time-weathered stones is a way of imagining one is digging up the beauty of the past. Carpets of azaleas, rose bushes and olives bring the colours of gardens in spring into the ancient soul of the town.*

94. *Pordenone. Duomo, particolare della Pala della Misericordia del Pordenone.* La carica sentimentale del capolavoro di Giovanni Antonio da Pordenone, massimo pittore del Friuli, s'imbeve di un calore tonale memore del lirismo atmosferico giorgionesco.
Tornisce la drammatica sciabolata del San Cristoforo una larga e solida forza popolare.
Il paesaggio avvolge le figure con calda e serena gioiosità georgica.

94. Pordenone. The Cathedral. Detail of Misericordia Altar-Piece by Giovanni Antonio da Pordenone. *The emotional force of this masterpiece by Giovanni Antonio da Pordenone, the greatest Friulian painter, takes on a warmth of tone which recalls the lyrical atmosphere of Giorgione. Saint Christopher's dramatic sword blow is rendered with broad, solid popular force. The landscape wraps the figures in warm, serene, pastoral joyfulness.*

95. *Pordenone. Duomo, particolare della Pala di San Marco del Pordenone.* Affascinato dal poema michelangiolesco della Sistina, il Pordenone immerge il ricordo dell'esperienza romana in una tensione stupenda e «ventosa», anticipatrice degli impeti carnali di un Rubens.

Il colore veneziano accende tremori ocra e rosati.

95. Pordenone. The Cathedral. Detail of Altar-Piece of St. Mark by Giovanni Antonio da Pordenone. *Fascinated by Michelangelo's work in the Sistine Chapel, Giovanni Antonio da Pordenone imbued the memory of his experience in Rome with a marvellous «windswept» tension, anticipating Rubens' carnality. The Venetian colour sparks off flickering ochres and pinks.*

96.97. *Azzano Decimo, le Fratte.* Un terreno fertile di cultura e d'arte alimenta le tradizioni artigiane. L'artigianato non è soltanto una delle strutture portanti del tessuto economico e produttivo regionale, ma esprime nella quotidianità del presente la sensibilità e il gusto di un popolo.
La delicatezza di forme dei vetri, delle terracotte, delle ambre, dei mosaici romani di Aquileia rivive sul tornio del vasaio. Per essere nuovi bisogna, qualche volta, saper ascoltare con amore richiami e suggestioni del passato.

96.97. Azzano Decimo. Le Fratte. *A rich cultural and artistic soil nurtures the tradition of handicrafts, producing not only one of the mainstays of the economic and productive structure of the Region, but also expressing popular sensivity and taste at an everyday level. The delicacy of shape of the glass, terracotta, amber and Roman mosaics of Aquileia comes to life on the potter's wheel. To create something new, one must sometimes listen lovingly to echoes and hints from the past.*

98.99. Tagliamento. Luce livida, silenzio, scricchiolìi brevi, «pugni d'oscurità che sono voli, tracce d'animali perduti, il loro ossame fatto pietra, la pietra diventata muraglia».
Come nella conclusione del romanzo di Elio Bartolini, la sera si carica di un «presentimento freddo».
Ma tutte le immagini, tutte le forme dissolve il fiume con il crepitìo – come di vetri frantumati – di rivi, rigagnoli, lame, canali, intrecciati fino alla soglia dell'orizzonte sull'immenso biancheggiare delle ghiaie.

98.99. Tagliamento. A leaden light, silence, brief creaks, «fists of darkness which are flights, the spoor of lost animals, their bones petrified, the stones made a wall». As in the conclusion of Elio Bartolini's novel, evening fills with a «cold foreboding». But the river breaks up all images, all shapes in the tinkling, as of glass shattering, of brooks, rivulets, marshes and canals interwoven all the way to the edge of the horizon on the endless whiteness of the gravel-beds.

▷

100.101. Campagna friulana. I prati della Bassa fioriscono d'inverno di gabbiani in cerca di cibo e il loro volo è un miraggio di libertà lontane.
Sfiorano le onde ferme della terra e le cime di pioppi e d'acacie portandosi dietro nostalgie d'alghe e di salsedine.

100.101. The Friulian Countryside. *The meadows of Lower Friuli in winter sport a blossom of seagulls in search of food and their flight is a mirage of far-off freedoms. They skim the still waves of earth and the tops of the poplars and acacias with their longing for seaweed and salt sea air.*

Simile a un battello sui mari, il trattore si ammanta di fremiti e di palpiti d'ali.
A perdita d'occhio, partito da spalliere di tenera erba, si distende il pigro respiro della campagna resa fertile dall'opera di bonifica.
Casali turriti da silos e una fila di pioppi sull'orizzonte a trattenere la vacuità dell'infinito.

Like a boat on the high seas, the tractor is cloaked in fluttering, flapping wings. As far as the eye can see, the reclaimed, now fertile countryside, divided up by rows of young grass, spreads lazily out. Farmhouses, turreted by silos, and a row of poplars on the horizon hold the emptiness of infinity at bay.

102.103. *Campagna friulana*. Si allargano nella pianura i flutti concentrici dei solchi. L'agricoltura, profondamente modificata nelle strutture e nei programmi rispetto al passato, continua a rappresentare un notevole importante fattore di stabilità economica e sociale.

102.103. The Friulian Countryside. *The concentric waves of the furrows widen out over the plain. Agriculture, profoundly modified in structure and planning with respect to the past, continues to represent a crucially important factor of economic and social stability.*

104.105. *Campagna friulana*. Ma gli ultimi giorni di marzo, quando l'aria si intiepida, le spianate percorse da grumi di gelsi ancora scuri e umidi si accendono di fulgori.
L'uniformità, disegnata dai corpi morbidi delle prime alture, diventa un canto di giovinezza.

104.105. The Friulian Countryside. *In the last days of March, when the air is getting warmer, the open plains, laced with knots of still dark, damp mulberries, become radiant. Uniformity, outlined by the soft mass of the first hills, is a hymn to youth.*

E l'empito d'oro della colza contrasta violento con le fasce brune delle arature e con i tappeti smeraldini del frumento e dell'erba medica.
Allora la tavolozza del Friuli si riempie di colori e pare un quadro di Van Gogh.

The brimming gold of rapeseed contrasts violently with the brown strips of ploughed land and the emerald carpet of wheat and alfalfa. At this time, the palette that is Friuli fills with colours and resembles a painting by Van Gogh.

106. *Villotta di Chions*. Non sono soltanto i colli il regno della vite. Anche nelle Grave, la zona più vasta fra le sei a denominazione di origine controllata, la viticoltura ha compiuto un grande balzo in avanti. Esigenze di razionalità hanno sostituito, ai vecchi pali in legno così legati all'ambiente, il fitto labirinto dei sostegni in cemento.

106. Villotta di Chions. *The hills are not the only kingdom of the vine. In the Grave, the biggest of the six recognised DOC (denominazione di origine controllata) zones, too, viticulture has made great strides. Rationalization has replaced the old wooden poles, so closely associated with the landscape, with a dense labyrinth of cement supports.*

107. *Valvasone*. Là dove la mancanza d'acqua rendeva sterile la campagna è stato compiuto un grosso sforzo per portare gli impianti di irrigazione.
Terreni poveri e ghiaiosi sono diventati così estensioni di campi tenuti come giardini di una nuova promessa.

107. Valvasone. *Where lack of water used to render the land barren, a huge effort has been made to introduce irrigation equipment. Poor, gravelly land has thus become an expanse of fields kept tidy as the gardens of a new promise.*

108. *Bassa friulana*. Fenomeni di risorgenza delle acque si manifestano, invece, intorno a Codroipo. Tra filari di alti pioppi e siepi e acacie e salici e viburni si allargano prati acquitrinosi e scorrono torrentelli limpidi orlati da una vegetazione singolare e preziosa.

108. Lower Friuli. *Evidence of water resurgence, on the other hand, can be found around Codroipo. Marshy fields extend between rows of tall poplars, privet hedges, acacias, willows and viburnums and small, clear streams run between borders of unusual vegetation.*

109. *Bannia*. La ruota superstite del mulino, incamiciata « di licheni e di muschi », «inghirlandandosi di cento fioretti acquaioli» frange la corrente brulicante di un firmamento di scaglie luminose. Le rive del canale sembrano voler rinnovare l'idillio della Favitta e dello Sgricciolo, i piccoli protagonisti della famosa novella di Ippolito Nievo.

109. Bannia. *The surviving wheel of the watermill with its coat of « lichens and mosses », «adorning itself with a hundred little watery flowers» fends the flow of the stream teeming with a firmament of sparkling fragments. The banks of the canal seem to want to relive the idyll of Favitta and Sgricciolo, the little heroes of the famous short story by Ippolito Nievo.*

◁ 110. *Bassa friulana.* Che i movimentati e molteplici ritmi delle balle di paglia sul giallo delle stoppie siano il risultato di un caso non ha molta importanza.
Quanti artisti «comportamentali» non desidererebbero inventare lo «happening» di questa straordinaria situazione ambientale?

110. Lower Friuli. *The fact that the animated, polymorphous rhythms of the straw bales on the yellow of the stubble is fortuitous is of little importance. How many «behavioural» artists would like to have invented the «happening» of this extraordinary environmental situation?*

111.112. Valli del Natisone. Festoni di pannocchie risplendono come diademi sulle balconate lignee.
Sono immagini ormai rare, di quando il granturco serviva soprattutto a sostenere magre economie familiari.
Il vento fa garrire le foglie dorate delle canne simili a capelli di fate evocate in leggende rurali, o a femminee apparizioni stregate di un «nô» filmico del regista giapponese Kenji Mizoguchi.

111.112. Natisone Valleys. *Wooden balconies are festooned with corncobs shining bright as crowns. These scenes are now rare, belonging to the days when maize served chiefly to supplement meagre family budgets. The wind makes the golden leaves of the reeds flutter like the fairy's hair of rural legend, or like the bewitched female apparitions of a «Nô» film by the Japanese director Kenji Mizoguchi.*

113.114. Sacile. « Sacile è loco del Friuli de' più dilettevoli che abbia la provincia », scriveva il Palladio. Adagiata sulle rive della Livenza, del cui letto la strada centrale riproduce il pigro serpeggiare come di un Canal Grande interrato, era luogo ameno di villeggiature dei patrizi veneti. Nelle linee dei suoi palazzi vibra il ridente languore della Serenissima. Dicono che Pietro Bembo e la regina di Cipro, Caterina Cornaro, intessessero qui i loro dialoghi prima di raggiungere gli orti asolani.

113.114. Sacile. « *Sacile is a place in Friuli among the most delectable in the Province* », *wrote Palladio. Lying on the banks of the Livenza whose course the main street follows in a lazy serpentine like a land-locked Grand Canal, it was a pleasant spot for the holidays of Venetian patricians. It is said that Pietro Bembo and the Queen of Cyprus, Caterina Cornaro, first conversed here before reaching the gardens of Asolo.*

115.116.117.118.119. *Sacile, la «Sagra dei osei».* Dal 1351, quando il patriarca di Aquileia Nicolò del Lussemburgo concesse a Sacile il diritto di tenere mercato d'uccelli catturati nei boschi del vicino Cansiglio, regolarmente ogni anno, la seconda domenica di agosto,

115.116.117.118.119. Sacile. *The Bird Fair. Since 1351, when the Patriarch of Aquileia, Nicolò of Luxembourg, gave Sacile the right to hold a market of the birds captured in the woods of nearby Cansiglio, regularly every year on the second Sunday of August, the «sagra*

la «sagra dei osei» richiama gente da tutta l'alta Italia e dall'estero. Fin dall'alba, tra gabbie e gabbiette e spalliere di canne, trilli, zirlii, cinguettìi, pigolìi e liquidi gorgheggi riempiono l'aria fresca e lucente con melodiose sinfonie agresti.

dei osei» attracts visitors from all over northern Italy and from abroad. From dawn, rising up from cages big and small and from wicker baskets, trills, whistles, chirps, twitters and liquid warbles fill the fresh, clear air with melodious country symphonies.

120. *Sacile. Duomo, affresco di Pino Casarini - 121. La banda.*
Nel duomo, l'angelico concerto negli affreschi novecentisti dipinti
dal veronese Pino Casarini sembra riprendere i temi argentini della
colonna sonora proveniente dalla vicina piazza. E la banda civica
intona con piglio solenne la «marcia dell'Aida».

120. Sacile. The Cathedral. Fresco by Pino Casarini - 121. The Band.
*In the cathedral, the angel concert in the twentieth-century frescoes
painted by Pino Casarini from Verona seems to pick up the silvery
themes of the sound track coming from the nearby square. The town
band plays «Aida's March» with solemn expressions.*

122.123. *Spilimbergo, il duomo.* Uno spazio chiaro, innervato dai poderosi pilastri, dalle arcate gotiche, dalle capriate lignee. Una tensione forte, semplice e solenne che si dilata nelle cappelle absidali. Dagli oculi della facciata piove la luce a dare unità alla disadorna grandezza dell'interno.

122.123. Spilimbergo. The Cathedral. *A clear space, brought to life by powerful pillars, Gothic arches and wooden trusses. There is a strong tension, simple yet solemn, which extends to the apsidal chapels. Light pours in through the circular windows of the façade to give completeness to the bare grandeur of the interior.*

Sulle portelle dell'organo la chiaroscurata possanza di figure del Pordenone tumultua con slancio vitale.
All'esterno, come una conchiglia, lo strombato portale di Zenone da Campione risucchia e filtra le voci e i rumori della piazza.

The shaded power of Giovanni Antonio da Pordenone's figures on the organ hatches bursts with impetuous vitality. Outside, like a seashell, Zeno da Campione's splayed portal sucks in and filters voices and noises from the square.

◁ *124. Maniago.* Si allarga nella piana l'abbraccio bianco di Maniago, cresciuta intorno alle rovine di un medioevale castello, tra il fiume Cellina e il torrente Meduna.
Con l'acciaio forgiato nelle sue fucine, abilissimi artigiani producevano ieri spade, corazze, picche e alabarde; oggi producono lame e coltelli ovunque richiesti.

124. Maniago. *Maniago's candid embrace encompasses the plain, having grown up around the ruins of a medieval castle between the river Cellina and the Meduna torrent. With the steel forged in its foundries, skilled craftsmen yesterday made swords, cuirasses, pikes and halberds and today make much sought-after blades and knives.*

125.126. *Maniago, il duomo (a sinistra) e la piazza.* Ha una ferrigna bellezza la facciata di pietra del tempio, esemplata su modelli d'architettura francescana. Nella povertà rustica e severa dei materiali si accendono le dentellature merlettate degli archetti pensili, la raggiera fiorita del rosone e le tortili cordonature del portale archiacuto. Delimita il sagrato una coppia di arcate e di pilastri piramidali d'epoca barocca, che inquadrano logge e palazzetti affacciati sulla vastissima piazza. Tra questi la settecentesca dimora dei conti d'Attimis-Maniago con il grande leone marciano, attribuito a Pomponio Amalteo, affrescato sulla elegante facciata.

125.126. Maniago, the Cathedral (on the left) and square. *The stone façade of the church has an iron beauty, modelled on the designs of Francescan architecture. In the severe, rustic poverty of the materials, the lacy denticulations of the suspended arches, the flowery sunburst of the rosette and the twisted cordons of the ogival portal acquire luminosity. A pair of arches and Baroque period pyramidal columns mark the boundary of the church-square, framing the loggias and buildings which face onto the immense town square.*
The eighteenth-century home of the Counts of Attimis-Maniago, with the large Venetian lion attributed to Pomponio Amalteo frescoed on the elegant façade, is one of these.

127.128. *Sesto al Reghena, abbazia benedettina.* Come attestano i capitelli che partiscono ritmicamente la calda pelle delle murature in cotto, l'abbazia benedettina di Sesto al Reghena risale all'età longobarda. Ma i rimaneggiamenti e le ricostruzioni l'hanno strutturata secondo chiari schemi romanici.

127.128. Sesto al Reghena. The Benedictine Abbey. *As is evidenced by the capitals which rhythmically divide the warm surface of the brick walls, the Benedictine abbey of Sesto al Reghena dates from Longobard times. However, restructuring and reconstruction have given it the lines of obviously Romanesque design.*

Sulla mistica nudità delle antiche pareti si incastonano lacerti di affreschi degli allievi di Giotto, giunti in Friuli dopo l'affascinante avventura degli Scrovegni. Occhi ferini di mandorla, fissità di enorme stupore davanti al dramma divino della crocifissione, impietrano volti e caratteri modellati con colori lapidei e d'argento e turchese ossidato.

The muscular frescoes of Giotto's pupils are set into the mystical nakedness of the ancient walls. Giotto's pupils arrived in Friuli after the enthralling adventure of the Scrovegni Chapel in Padua. Wild, almond eyes stare filled with awe before the divine drama of the Crucifixion. Faces and expressions drawn in shades of earth, silver and burnt turquoise turn to stone.

129.130. *Villa Manin di Passariano*. Come sontuosi detriti portati dal fiume della memoria e della nostalgia, gli oggetti d'antiquariato levano un brusìo di colori al mercatino stagionale di villa Manin. Specchiere e vetri liberty, ninnoli gozzaniani e quadri e mobili e argenterie e smalti e abiti e terrecotte di varie epoche sono frammenti ritrovati negli itinerari d'una appassionata ricerca del tempo perduto.

129.130. Villa Manin - Passariano. *Like sumptuous flotsam carried on a river of memory and nostalgia, the antiques create a buzz of colour at the Villa Manin seasonal market. Mirrors and art nouveau glass, fin de siècle bric-a-brac, pictures, pieces of furniture, silverware, enamel, clothing and earthenware of various periods are all fragments to be found along the way on an exciting* recherche du temps perdu.

« Ma stavolta il cancello è proprio chiuso »: chi abita la villa? Forse i fantasmi del sogno dell'ultimo doge veneziano Ludovico Manin, che la volle per soddisfare le proprie « smanie di villeggiatura », dimenticando nella quiete della campagna friulana l'angoscia di decadenza della fatiscente repubblica; o forse l'eco della « grandeur » di Napoleone, che a Passariano sottoscrisse l'atto di morte della Serenissima.

« This time the gate is really closed ». Who lives in the villa? Perhaps the ghosts of the dream of the last Venetian Doge, Ludovico Manin, who wanted it to satisfy his own « craving for country relaxation », forgetting the anguish of the decline of his crumbling republic in the calm of the Friulian countryside. Or perhaps it is the echo of Napoleon's « grandeur », when he signed the Most Serene Republic's death certificate at Passariano.

◁ 131. *Villa Manin* - 132. *Villa Manin, particolare degli affreschi del Dorigny* - 133. *Villa Manin, scalone*. Le barchesse protese in avanti, incoronate da statue e riunite in fondo da due peschiere a mezzaluna, l'esedra palladiana che chiude la prospettiva di favola, i pilastri, gli archi, le torri, i pinnacoli, le colonne, le cancellate la rendono simile a «un miraggio, una scenografia, un castello allucinogeno fatto di carta che al primo soffio svanirà nel nulla». Salvata dal disfacimento e dall'abbandono e acquisita dalla Regione, è stata trasformata in prestigioso centro culturale.

131. Villa Manin - 132. Villa Manin. Detail of Dorigny's Frescoes - 133. Villa Manin. Main Staircase. *The porticos stretching forward, crowned by statues and joined at the ends by two crescent-shaped fishponds, the palladian exedra which offers a fairy-tale view, the pillars, the arches, the towers, the spires, the columns and the railings make it «a mirage, a mise-en-scène, a hallucinatory paper castle which disappears into nothing at the first breath of wind». Saved from ruin and neglect and acquired by the Regional Authority, it has been turned into a prestigious cultural centre.*

134.135.136.137.138. *Villa Manin, Centro regionale di catalogazione e restauro.* Frammenti preziosi di altari e di statue lignee dai quali affiorano le dorature e i colori dell'epoca, pitture che recano visibili le cicatrici del tempo e le sfregiature del terremoto: la scuola regionale di restauro di villa Manin è come un'officina artigiana, ma in un clima di sofisticato laboratorio scientifico.

134.135.136.137.138. Villa Manin. Regional Cataloguing and Restoration Centre. *Precious fragments of altars and wooden statues from which period gilding and colours emerge, and paintings which bear the visible scars of time and the disfigurements of the earthquake. The Villa Manin Regional School of Restoration is like a craftsman's workshop, but with the air of a sophisticated scientific laboratory.*

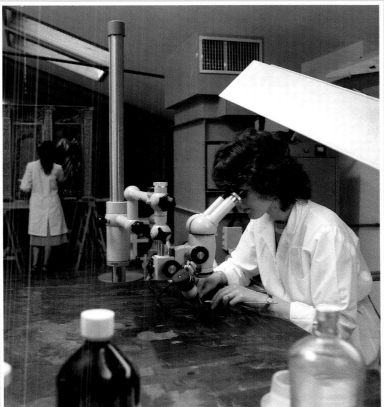

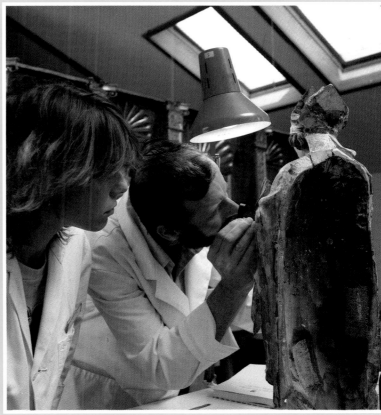

Il momento operativo, strettamente connesso a quello didattico, consente di recuperare lo spirito delle comunità di lavoro d'altri secoli. Il tal modo l'opera del restauratore assomma in sé l'intervento materiale e l'analisi critico-filologica. Accanto alla scuola, che per criteri e metodi è all'avanguardia in Italia, il centro di catalogazione sta inventariando il ricco patrimonio culturale del Friuli-Venezia Giulia.

Practical work, closely integrated with the teaching, enables the spirit of working communities of other centuries to be recaptured. In this way, the restorer's role combines manual work with critical and philological analysis. Alongside the school, which is in the vanguard in Italy for its standards and methods, the cataloguing centre is making an inventory of Friuli-Venezia Giulia's rich cultural heritage.

139. *Codroipo.* Case e strade del centro agricolo intrecciano una sorta di girotondo intorno alla chiesa e al municipio, i due nuclei di riferimento per la vita sociale e civile d'una comunità di profonde e radicate tradizioni rurali.

139. Codroipo. *The houses and streets of this agricultural centre dance ring-a-ring-o'-roses around the church and town hall, the two central points of reference for the social and civic life of a community with deep-rooted rural traditions.*

140. *Udine.* Con un brusìo rosseggiante di tetti, Udine si raccoglie intorno al suo castello, simbolo della friulanità. La leggenda vuole che il colle – in realtà d'origine morenica – fosse stato fatto erigere da Attila.
Dal documento del giugno 983, con il quale l'imperatore Ottone II assegnò il «castrum Utini» al patriarca di Aquileia, mille anni di storia hanno fatto della città il cuore della «piccola patria».

140. Udine. *Amid a riot of russet roofs, Udine nestles around its castle, the symbol of Friuli. According to legend, the hill – really of glacìal origin – was raised on Attila's orders. Since the document of 983 in which the Emperor Otho II assigned «castrum Utini» to the Patriarch of Aquileia, a thousand years of history have made the city the heart of the «little homeland».*

141. *Udine.* Piazza Libertà è uno sfolgorìo di luci, tra golfi e rientranze di tenere penombre.
Il sole trasfigura nello slancio di un raggio verticale la colonna della giustizia, fa svettare quella del ruggente leone di San Marco, incide gli scuri profili della fontana di Giovanni da Carona, accende di un tepore di pelle viva le fasce bianco-rosate della loggia municipale, nel cui disegno l'orafo Nicolò Lionello interpretò lagunari preziosità con robustezza terragna.

141. Udine. *Piazza Libertà is an explosion of light amid gulfs and recesses of tender shadow. The sun transforms the column of justice into the vertical upthrust of a ray of light and makes the roaring lion of St. Mark stand proud on its column. It traces the dark silhouette of Giovanni da Carona's fountain and brings forth a leathern warmth in the pinkish white lines along the municipal loggia. In designing this, the goldsmith Nicolò Lionello blended Venetian refinement with down-to earth vigour.*

142. *Udine, salita al castello*. Nella configurazione urbanistica ancora medioevale si aprono splendidi inserti d'arte e di cultura, che testimoniano la sensibilità di un popolo oggi impegnato a recuperare la propria identità.
Centro commerciale di richiamo per le regioni contermini, è luogo che, una volta conosciuto, difficilmente si dimentica.

142. Udine. Ascent to the Castle. *Marvellous corners of art and culture are there to be found in the still medieval lay-out of the city, testifying to the sensitivity of a people who are engaged today in recovering their own identity. A major commercial centre for neighbouring regions, Udine is a place which, once discovered, is difficult to forget.*

143.144. Udine. Piazza Libertà. La chiude lo scenario di linee leggere, sottili e nervose del porticato cinquecentesco di Bernardino da Morcote. Dalla torre dell'orologio, ideata da Giovanni da Udine, lo sguardo sale verso le quinte dei giganteschi cedri, raggiunge lo sperone del massiccio palazzo e l'angelo svettante sul campanile di Gaspare Negro a richiamo di quanti sono lontani.
Sul terrapieno, la ruvidità popolaresca delle statue barocche di Ercole e Caco intreccia un muto colloquio con il terso e altezzoso neoclassicismo della «Pace» di Campoformido.

143.144. Udine. Piazza Libertà. *The scene is set by the light, subtle, nervous lines of Bernardino da Morcote's sixteenth-century colonnade. From the clock tower, designed by Giovanni da Udine, the eye rises to the giant cedars in the wings, reaches the buttress of the massive castle building, and the angel atop Gaspare Negro's bell-tower calling back those far from home. On the rampart, the popular ruggedness of the Baroque statues of Hercules and Cacus stand in mute conversation with the clean, haughty neoclassicism of the «Peace» of Campoformido.*

145.146.147.148.149. *Udine, il duomo.* La mole tozza e possente del duomo riflette il passaggio fra il tardo romanico e il gotico. Come una severa monodia gregoriana, la facciata si leva con la solennità monastica delle architetture cistercensi cui la fabbrica originaria, prima della riforma settecentesca, si ispirava. Movimentano il piatto e scabro sviluppo del frontone in cotto

145.146.147.148.149. Udine. The Cathedral. *The squat, powerful bulk of the cathedral reflects the passage from late Romanesque to Gothic. Like an austere Gregorian chant, the façade rises up with the monastic solemnity of the Cistercian architecture which inspired the original building, before modifications in the eighteenth century. The flat, rugged development of the brickwork pediment is lent movement*

il forte dinamismo circolare dei tre rosoni, la coppia di finestroni archiacuti e la struttura decorativa dell'ingresso impennata da venti oltremontani.

Il fresco raggiare del gotico tedesco orna i due più antichi portali della chiesa con le sequenze della Redenzione, corrosa e resa mutila dal tempo, e dell'Incoronazione.

Nelle pittoriche Storie di San Nicolò la deliziosa cromia miniaturistica dell'anonimo artista padano trasforma l'episodio sacro in favola araldica da «Libro d'Ore».

by the strong, circular dynamism of the three rosettes, the pair of ogival windows and the decorative structures of the entrance which rise up blown by ultramontane winds. The fresh radiance of German Gothic decorates the two oldest portals of the church with the story of the Redemption, worn away and mutilated by time, and the Coronation. In the pictorial Histories of San Nicolò, the exquisite miniature shades of colour of the anonymous Po Valley artist transform the sacred episode into a heraldic fable from the «Book of Hours».

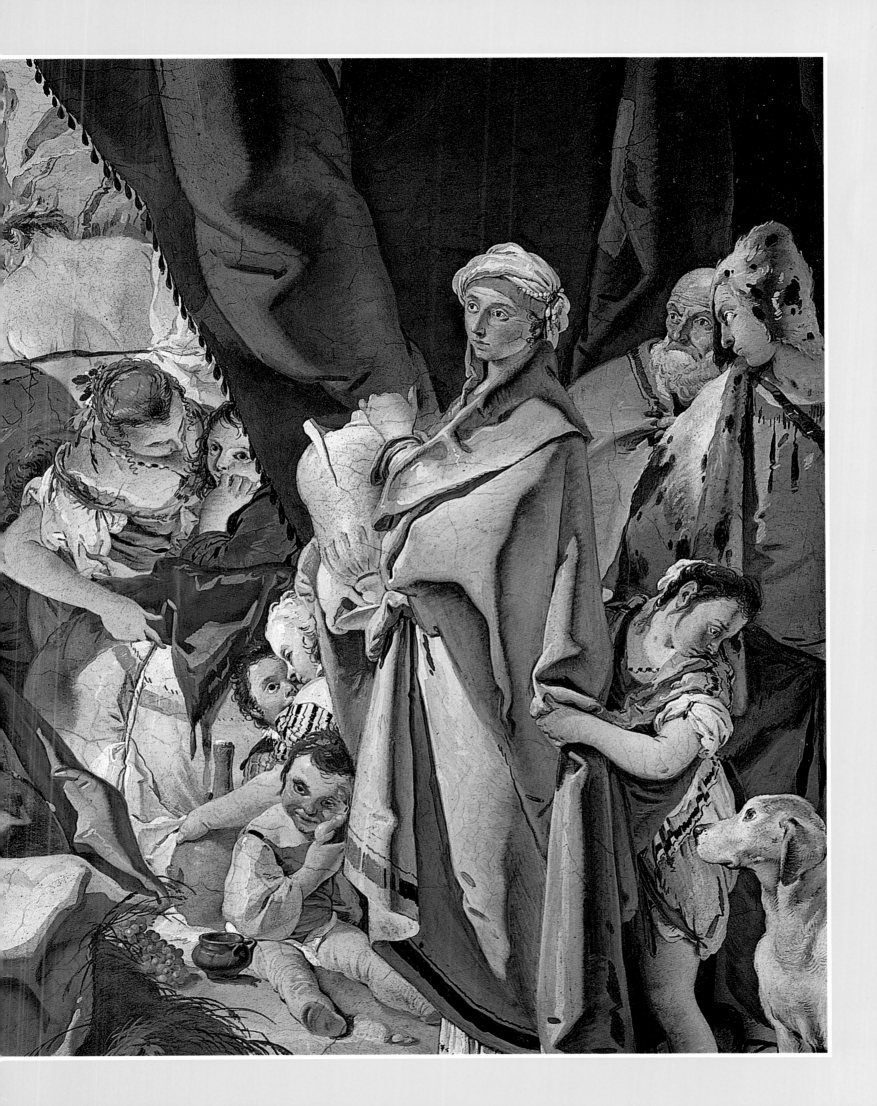

◁ *150. 151. Museo diocesano e Gallerie del Tiepolo.*
Giambattista Tiepolo, l'incontro fra Labano e Rachele che nasconde gli idoli. In quella che fu un tempo la residenza dei Patriarchi d'Aquileia e poi degli Arcivescovi di Udine, ha sede oggi il rinnovato Museo diocesano udinese. Il palazzo, affrescato da Giambattista Tiepolo per incarico del Patriarca Dionisio Delfino, custodisce una delle più preziose collezioni di scultura lignea friulana dal XIII al XVIII secolo.

150.151. Diocesan Museum and Tiepolo's Galleries.
Giambattista Tiepolo, The Meeting of Laban and Rachel who hides the idols. *In what was once the residence of the Patriarchs of Aquileia and later of the Archbishops of Udine is now located the renewed Diocesan Museum of Udine. The building, with frescoes by Giambattista Tiepolo commissioned by the Patriarch Dionisio Delfino, holds one of the most precious collections of Friulian wooden sculpture of the period from the thirteenth to the eighteenth centuries.*

152.153. *Udine, piazza San Giacomo.* Fin dalle origini luogo di mercato, la piazza conserva ancor oggi una affabilità popolare intrisa di profumi di verdure, d'ortaggi, d'acque, di pane sfornato, e le fioraie sciorinano sotto i portici la ridente fragranza dei giardini. Il crepuscolo la tinge d'ombre viola, raccolto scenario teatrale diademato dalle bacheche sfavillanti delle « boutiques », come acquari d'eleganze che fanno sognare.

152.153. Udine. Piazza San Giacomo. *A market-place from the very beginning, this square still preserves a folksy friendliness rich with the smell of vegetables, water and freshly-baked bread. Under the porticos, the flower-sellers display their smiling garden fragrances. Twilight tinges the square with purple shadows, an almost theatrical scene studded with the twinkling windows of the boutiques, windows onto the elegance dreams are made of.*

154.155. Udine, via Zanon. Si irradia l'inverno tra le chincaglierie cordiali delle bancarelle, in un clima di compostezza, di pacato riserbo che, tuttavia, non si chiude alla curiosità e al dialogo.

154.155. Udine. Via Zanon. *Winter shines on the friendly fripperies of the stalls in a climate of order and calm reserve which does not, however, exclude curiosity and conversation.*

Lo scalpiccìo dei passanti è come il mormorare della roggia, che fluisce discreta per contrade silenti orlate da platani, case e antichi palazzi e si impasta – scrive Carlo Sgorlon – «col sentimento stesso della vita».

The footsteps of passers-by echo the murmuring of the canal which flows discreetly through quiet districts lined with plane-trees, houses and old buildings, and is leavened – Carlo Sgorlon writes – «with the very feeling of life».

156.157.158.159. *Cividale.* Sulle acque trasparenti del Natisone scorrono a Cividale due millenni di storia. Fondata dai legionari di Cesare col nome sonante di «Forum Julii», alla calata di Alboino divenne la prima capitale in Italia del potere longobardo, che la segnò di vestigia tuttora misteriosamente eloquenti.
Le età successive, dalla signoria dei Patriarchi che nel medioevo la elessero a sede, al dominio veneto, si sono stratificate nell'impianto architettonico e urbanistico, animato da anguste viuzze segnate da

156.157.158.159. Cividale. *At Cividale, two thousand years of history flow past on the clear waters of the Natisone. Founded by Caesar's legionaries under the high-sounding name of «Forum Julii», when Alboino invaded, it became the first capital in Italy of the Longobard power which has left traces that even today are mysteriously eloquent. Successive ages, from the rule of the Patriarchs who made it their seat in the Middle Ages, to Venetian dominion, have left layers of architectural styles and influenced the town plan. This now offers*

tracce di mura, aperto in slarghi fioriti di palazzetti, di archi, di gradinate, di pozzi, di parchi alonati da un'aura di vaga leggenda. La tradizione vuole che, quella raffigurata nella foto 158, fosse la casa natale di Paolo Diacono, il monaco benedettino che narrò, nell'«Historia Langobardorum», l'epopea del suo popolo. In realtà il palazzetto fu costruito circa settecento anni dopo, in epoca veneziana, come attestano i ritmi delle finestre gotiche e le parvenze labili dell'affresco. Né prova esiste che qui fosse comunque

narrow lanes with traces of the city walls and opens out into squares brimming with old buildings, arches, flights of steps, wells and parks all crowned with an aura of vague mystery. Tradition has it that the house pictured in photograph 158 was the one where Paolo Diacono was born. He was the Benedictine monk who told, in the «Historia Longobardorum», the epic tale of his people. In fact, the building was constructed about seven hundred years afterwards, in Venetian times, as the lines of the Gothic windows and the faded remains

il luogo dove l'avo di Paolo, fuggito dalla schiavitù degli Avari, appese la faretra all'olmo cresciuto durante la prigionia della famiglia dentro la scoperchiata abitazione.

Eppure le prospettive cividalesi, immerse in calde luci azzurre e ramate, conservano il fascino di quelle età remote, con le muraglie drappeggiate da edere e da viti americane, lo squillo scuro dei cipressi, i campanili, le facciate affrescate delle chiese, gli orti lungo il fiume dai cui flutti emergono barbariche rocce.

of the fresco testify. Nor is there any proof that it was here that Paolo's forebear, fleeing from slavery with the Avars, hung his quiver on the elm which had grown in the roofless building during his family's captivity. Yet the views of Cividale, with their warm blue and copper light, preserve the charm of those far-off times, with the walls bedecked with ivy and American vines, the dark flourish of the cypresses, the bell-towers, the frescoed church façades and the vegetable gardens along the river from whose waves emerge barbarian rocks.

160.161.162.163.164. *Cividale*. Le sei vergini del Tempietto dell'ottavo secolo fissano il vuoto con ieratico sguardo proveniente da misteriose lontananze. Il lieve inafferrabile sorriso conosce l'ambiguità delle statue di Megara e Corinto. Nell'arcone vitineo un prodigio d'oreficeria intreccia aerei trafori con la preziosità degli stucchi dei califfi omayyadi di Siria e Palestina. Luce d'alabastro rischiara la grotta cubica del sacello, donando alla cappella regia della «gastaldaga» profumi d'oriente.

160.161.162.163.164. Cividale. *The six virgins of the eighth-century Small Temple stare into space with a grave eye that speaks of far-off lands of mystery. The faint, elusive smile hints at the ambiguity of the statues of Megara and Corinth. The vine-clad great arch, a prodigy of the goldsmith's art, interweaves airy perforations with the exquisite stuccoes of the Omayyadi Caliphs of Syria and Palestine. Alabaster light illuminates the cubic grotto of the sacellum, lending an oriental touch to the royal chapel of the «gastaldaga».*

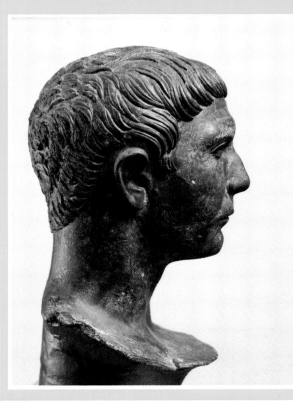

Misticamente trascorrono tracce pallide di santi bizantini e cabalistici segni istoriani la trave dell'iconostasi.

L'eclettismo primevo dell'arte longobarda incide, intorno a grandi attoniti occhi, lineari grafie di rude espressività o rifulge nell'oro delle croci pettorali che ornavano il sonno eterno dei mitici duchi. Dalla bronzea testa dello sconosciuto romano alle fulgenti miniature del salterio duecentesco lo spessore del tempo è istoriato di immagini.

Pale traces of Byzantine saints pass by and cabalistic signs chronicle the beam of the iconostasis. The primitive eclecticism of Longobard art sculptures the linear marks of rough-hewn expressivity round great, astonished eyes, or glints in the gold of the pectoral crosses which decorated the eternal rest of the mythical dukes. From the bronze head of the unknown Roman to the glowing miniatures of the thirteenth-century Psalter, time is studded with images.

165. *Palmanova*. La città ideale del Filarete è diventata «cosa» concreta nella stella trapunta sulla campagna friulana. Fortezza veneta progettata al morire del Rinascimento da Giulio Savorgnan contro un pericolo ottomano rimasto da allora invisibile e quello, più reale, dell'espansionismo imperiale, mostra come esigenze pratiche possano trasformarsi in «segno» estetico.

165. Palmanova. *Filarete's ideal city became reality in this star stitched onto the Friulian countryside. A Venetian fortress designed at the end of the Renaissance by Giulio Savorgnan against an Ottoman threat that never materialized and against the more real threat of Imperial aggression, it shows how pratical necessities can be turned into aesthetic «signs».*

166. *Ronchi dei Legionari, l'aeroporto.* E «segno» estetico di un'epoca, come la nostra, portata sempre di più a visualizzare i propri messaggi è anche la pista dell'aeroporto di Ronchi dei Legionari. Gli incroci prospettici del firmamento luminoso dicono di un Friuli-Venezia Giulia oggi non più arroccato verso l'esterno, ma teso a favorire «incontri ravvicinati» con il resto d'Europa e del mondo.

166. Ronchi dei Legionari. The Airport. *An aesthetic «sign» of an age like ours which always tends to visualize its messages is the runway of Ronchi dei Legionari airport. The interlocking perspectives of this twinkling firmament speak of a Friuli-Venezia Giulia which is no longer closed to the outside world, but in search of «close encounters» with the rest of Europe and the world.*

167. *Mortegliano*. Il «campanile più alto d'Italia» interpreta con le arditezze tecnologiche del cemento armato lo slancio delle guglie neogotiche della parrocchiale. All'interno della chiesa la scenografica struttura cinquecentesca dell'altare ligneo di Giovanni Martini narra un sogno policromo di ori e di smalti strutturato in foreste di colonne, d'intagli, di statue.

167. Mortegliano. *The «highest bell-tower in Italy» translates the upthrust of the neo-Gothic spires of the parish church into the technological daring of reinforced concrete. Inside the church, the sixteenth-century setting of Giovanni Martini's wooden altar recounts a multi-coloured dream of gold and enamel in forests of columns, carvings and statues.*

168.169.170.171.172. *Gorizia*. Il castello e il ponte sull'Isonzo
sintetizzano i contrapposti destini di Gorizia: terreno di contese, di
guerre, di devastazioni, e mercato, luogo d'incontro, area necessaria
di transito.
La città – ha scritto lo storico Sergio Tavano – riassume lo strazio
«del sopravvivere, della volontà di continuare ad essere, di

168.169.170.171.172. Gorizia. *The castle and the bridge over the Isonzo
summarize the contrasting destinies of Gorizia. It is a land of
conflict, war and devastation, and also a market, meeting place and
an obligatory point of passage. The city, writes the historian Sergio
Tavano, sums up the agony of surviving, of the will to carry on
living, to defend yourself and the need to change, dying and*

difendersi e della necessità di trasformarsi, morendo sempre » a se stessa e sempre rinascendo. Contea potente nel medioevo, in lotta col Patriarcato, passò nel Cinquecento agli Asburgo, fu breve possesso di Venezia, tornò all'Impero.

being reborn again and again. A powerful fiefdom in the Middle Ages, at war with the Patriarchate, it passed to the Hapsburgs in the sixteenth century, belonged to Venice for a short while and then went back to the Empire.

Sconvolta dalla prima guerra mondiale, nel 1918 fu annessa all'Italia. Al termine del secondo conflitto mondiale gran parte della sua provincia venne ceduta alla Jugoslavia e il confine tagliò le sue strade. Ma da una situazione drammatica ha tratto motivo per intrecciare

Devastated by the First World War, Gorizia was annexed to Italy in 1918. At the end of the Second World War, most of its province was ceded to Yugoslavia and the border cut across the streets of the city. From this dramatic situation, Gorizia found the strength to renew

nuovi rapporti con il popolo che la lambisce, riaffermando così il proprio ruolo diretto a far convivere e a unificare le diversità. Un ruolo e un destino percepibili visivamente nelle stesse testmonianze architettoniche: come la chiesa di Sant'Ignazio,

contacts with the people round about, reaffirming its role in enabling different cultures to live together in harmony. This role and destiny are visible in the architecture of the town, like the church of St. Ignatius, which introduces distinct Nordic echoes into the

che innesta risentiti echi nordici sul dinamico svolgersi di un barocco d'estrazione romana, o le limpide prospettive mitteleuropee del centro storico, o gli echi di mediterraneo solare lindore del borgo addossato al maniero.

development of a Baroque of Roman extraction. Again, they are visible in the clean, Mitteleuropean perspectives of the historic centre, or the echoes of solar Mediterranean neatness in the district round the castle.

173.174. *Gorizia, il castello*. Sfondi di storie feudali da inventare in un itinerario dell'immaginazione. La ricostruzione del castello, battuto dagli obici durante le sanguinose offensive sull'Isonzo, restituisce un'idea scenografica immune dalle leggi del tempo, cristallizzandola in metafisiche astrazioni.

173.174. Gorizia. The Castle. *There is a backcloth of feudal history to invent on this journey of the imagination. The reconstruction of the castle, destroyed by howitzers during the course of the bloody offensives on the Isonzo, gives us back an idea of this timeless setting, crystallized in a metaphysical abstraction.*

175.176. Gradisca d'Isonzo. Memorie belliche racchiude nella cinta delle sue mura anche Gradisca d'Isonzo. Proprio da Gradisca prese il nome la guerra tra Venezia e gli Asburgo, che per due anni, dal 1615 al 1617, infierì in Friuli per il possesso della città, già baluardo della Serenissima contro i turchi e poi, dal 1511 nell'ambito dell'Impero, fortezza tra le più munite d'Europa. Fallito il tentativo della Serenissima di riconquistarla, fu uno dei cardini del sistema difensivo austriaco.

175.176. Gradisca d'Isonzo. *Gradisca d'Isonzo, too, holds memories of war within the circle of its walls. It was from Gradisca that the war between Venice and the Hapsburgs from 1615 to 1617 took its name. For two years, it raged over Friuli for the possession of Gradisca, which had once been a bulwark of the Most Serene Republiic against the Turks and then, from 1511 as part of the Empire, one of the best-fortified strongholds in Europe. After the failure of the Venetian attempt to recapture it, Gradisca remained one of the pivots of the Austrian defensive system.*

La tradizione vuole che al complesso abbia posto mano lo stesso Leonardo da Vinci, chiamato nel 1500 dalla Repubblica di San Marco.

Il simbolo del leone alato domina il torrione, secondo qualcuno disegnato dal grande «artefice» toscano.

I segni di una storia turgida di avvenimenti si innalzano ora placati in una cornice di quiete civile ricca di parchi e di verde, a invitare turisti amanti d'inedite emozioni.

Tradition would have it that Leonardo da Vinci himself, summoned by the Republic of St. Mark in 1500, had a hand in building the complex. The winged lion symbol that dominates the keep was drawn, according to some, by the great Tuscan «artificer». The marks left by an eventful history are to be seen in tranquillity now in a setting of civic peace full of parks and greenery, an invitation to tourists in search of new emotions.

177.178.179.180.181. *Redipuglia, il Sacrario.* « ... Ma nel cuore / nessuna croce manca... ».
La disadorna sofferenza delle poesie di guerra scritte sul Carso da Giuseppe Ungaretti si dilata a Redipuglia in larghi ritmi di epica e severa grandiosità.
L'ascendere dei gradoni marmorei fino alla spoglia celebrazione

177.178.179.180.181. *Redipuglia. The Sacrarium.* « ... *But in the heart /no cross is missing...* ». *The unembellished suffering of the war poems written on the Carso by Giuseppe Ungaretti at Redipuglia opens out into broad rhythms of severe, epic grandeur. Ascending the marble steps to an austere celebration of this supreme, sacred sacrifice*

dell'estremo sacrificio sacrale esprime con metafora di larga solennità novecentista il destino dei centomila caduti italiani le cui ossa si sono fatte terra nelle viscere del colle.
Ogni anno, ai primi di novembre, i commossi riti della memoria rinnovano l'anelito di pace. Il rosseggiare dei tramonti diventa auspicio di nuovi giorni finalmente sereni.

expresses in a twentieth-century metaphor of great solemnity the destiny of the one hundred thousand Italian dead whose bones are now earth in the bowels of the hill. Every year, at the beginning of November, the moving rituals of memorial renew a desire for peace. The red of the sunset augurs peace at last for the new day.

182.183.184. *Carso*. L'autunno carsico scoppia con i sanguigni colori dei boschi e delle vigne «sul giallo bruciato delle piante con chioma». Le solide case, i cortili chiusi da muri grigi di pietra, ombreggiati da pergolati di viti, racchiudono la forza umorale e risoluta d'una realtà contadina che difende, ai lembi estremi della città, il diritto d'una comunità alle proprie radici etniche e culturali. E, come nel protagonista di uno degli ultimi romanzi di Fulvio Tomizza, la tenera familiarità dei sassi, delle erbe del «mucchio di cenere tra le ortiche», alimenta una sensazione «rabbiosamente contenta» dell'esistere.

182.183.184. Carso. *Autumn bursts forth on the Carso in the blood-red colours of woods and vines «on the burnt yellow of the crested plants». The solid houses and courtyards enclosed by grey stone walls and shaded by vine bowers contain the resolute vital force of a country way of life, championing, at the very edge of town, the community's right to its own ethnic and cultural roots. And, as for the hero of one of Fulvio Tomizza's latest novels, tender intimacy with the stones, grass and «the heap of ashes in the nettles» feeds a sense of being «furiously happy» to exist.*

Il «grido terribile, impietrito» del Carso di Scipio Slataper, i «macigni grigi di piova e di licheni», i «ginepri aridi» si infiammano dei roghi del sommacco.
L'intrico di roveri e di elci, l'aroma acre del timo e delle resine, provengono da lontananze di leggenda e di mito, quando il diavolo trasformò in landa assetata il giardino del mondo e Giasone e Medea nei mille recessi del bosco intrecciarono la tragica storia dei loro amori e Diomede, approdato a questi lidi, insegnò agli uomini dell'altipiano l'arte di allevare cavalli.

The «terrible, petrified cry» of Scipio Slataper's Carso, the «boulders grey with rain and lichen», the «arid junipers» catch fire in a blaze of sumach. The interlaced bay oaks and ilex, and the bitter smell of thyme and resin come from a distant land of legend and myth, when the Devil turned the garden of the world into a thirsty desert, Jason and Medea lived out their tragic love story in the thousand recesses of the forest and Diomedes, landing on these shores, taught the men of the plateau to breed horses.

185. *Castello di Monrupino.* Sulla sommità del castelliere preistorico, battuta d'inverno dalla violenza della bora, la chiesa-fortezza di Monrupino difendeva gli abitanti dei villaggi dalle aggressioni turchesche. Nel giorno della Madonna d'agosto l'antico centro di fede è investito da un clima di festa popolare.

185. Monrupino Castle. *On the site of a prehistoric hill-fort, windswept in winter by the violence of the «bora» gale, the fortress-church of Monrupino defended the villagers from Turkish aggression. On the Virgin's feast-day in August, this ancient centre of faith has the atmosphere of a village fair.*

186. *Sistiana*. Una volta nell'alto Adriatico le rotte dei naviganti veneziani si incrociavano con quelle degli istriani e dei dalmati. Anche la gente giuliana era proiettata sul mare. D'una ricca tradizione marinara, le cui storie sono affidate ai diari di bordo e ai fragranti quadretti degli ex-voto con velieri pericolanti sui flutti, è rimasto il segno nella passione per la vela da diporto.

186. Sistiana. *Once, the routes of Venetian navigators crossed those of Istrians and Dalmatians in the Upper Adriatic. The people of Venezia Giulia, too, looked to the sea. The legacy of this rich, sea-faring tradition remains in a passion for yachting while its history can be traced in logbooks and the evocative pictures of votive offerings with their sailing ships in distress on the waves.*

187. *Duino.* «... l'ardita musica prima penetrò le aride pietre / e lo spazio sgomento...».
La gigantesca vela bianca delle *Elegie* di Rainer Maria Rilke protende dalla diruta rocca di Duino la sua ala in un lucente abbraccio d'infinito. E l'«esistere in terra è divino».

187. Duino. *«...the bold music first penetrated the arid rocks / and awe-stricken space...». The gigantic white sail of Rainer Maria Rilke's* Elegies *extends its wing from the ruined rock of Duino in a bright embrace of the infinite. And «to exist on earth is divine».*

188.189. Costiera triestina. « ... O gita interminabile, sfibrante; / e bella tuttavia, per quell'azzurro tutto liscio del mare come un lago / e quelle verdi rocciose pendici precipiti... ».
Il *Racconto d'amore* di Pier Antonio Quarantotti Gambini s'invera nello sfolgorante snodarsi della costa.

188.189. Trieste Coastline. «... *Oh, endless, exhausting excursion; / yet lovely, for that azure of the sea all smooth as a lake / and those rocky, green, precipitous slopes....* ». *The* Tale of Love *by Pier Antonio Quarantotti Gambini becomes reality in the sinuous brilliance of the coast.*

Tremola in fondo Trieste nella foschia e le «bianche torri» di Miramare danzano come ali di farfalla sui flutti.
Insenature orlate di scogli e lo scroscio dei ciottoli mossi dalla risacca. Ancora l'eco di un verso di Quarantotti Gambini:
«... E in noi come un'onda la gioia / d'essere liberi assieme».

Trieste in the background shimmers in the haze and the «white towers» of Miramare dance like butterfly wings on the waves. Cliffs are shut in coves to the rattle of pebbles shifting in the surf. Again, we have the echo of a verse by Quarantotti Gambini: « And in us like a wave the joy / of being free together ».

190.191. *Castello di Miramare.* Miramare, ovvero la tragedia dell'ambizione.
Il controluce restituisce in chiave di stregato miraggio la fosca atmosfera con la quale Giosuè Carducci cantò il folle sogno di Massimiliano e Carlotta. Il «nido d'amore costruito invano», nel 1860, dall'architetto Carlo Junker per il «nepote di Carlo Quinto» d'Asburgo e per la principessa belga sua sposa si protende nel golfo con una sorta di irresoluta aspirazione di grandezza delusa.

190.191. Miramare Castle. *Miramare, or the tragedy of ambition. Against the light, the dark atmosphere of a bewitched mirage with which Giosuè Carducci sang of the mad dream of Maximilian and Charlotte comes flooding back. The «love-nest built in vain» in 1860 by the architect Karl Junker for the «grandson of Charles V» of Hapsburg and for his bride, the Belgian princess, extends into the gulf with a kind of hesitant aspiration to deluded grandeur.*

Poco meno di ottant'anni dopo la fucilazione dell'imperatore del Messico, sconfitto a Queretaro dal repubblicano Benito Juarez, un altro principe, Amedeo di Savoia-Aosta, che nel castello aveva eletto la propria residenza ed era stato benvoluto dai triestini, concludeva con la morte la breve avventura regale in Etiopia, una terra, come il Messico, lontana e «straniera», che altri avevano voluto piegare a leggi assurde di conquista.

A little less than eighty years after the Emperor of Mexico was shot after being defeated at Queretaro by the republican Benito Juarez, another prince, Amedeo of Savoy-Aosta, who had chosen the castle as his residence and who was well-liked by the people of Trieste, brought to an end with his death the brief royal adventure in Ethiopia. Like Mexico, it was a far-off «foreign» land which others had wanted to bow to the absurd laws of conquest.

192.193. *Castello di Miramare*. Nella sala di rappresentanza, arredata pateticamente col fasto di una piccola reggia, Massimiliano accettò la corona del Messico offertagli da una delegazione di notabili centro-americani manovrati dagli intrighi politici di Napoleone III di Francia.
Ma il cadetto d'Asburgo ignorava i retroscena della drammatica situazione messicana o, forse, bruciato dall'aspirazione di elevarsi al livello imperiale dell'invidiato fratello Francesco Giuseppe, non volle nemmeno conoscerli.

192.193. Miramare Castle. *In the reception room, pathetically furnished with all the pomp of a small palace, Maximilian accepted the crown of Mexico which was offered to him by a delegation of Central American notables manoeuvred by the political intrigues of Napoleon III of France. But the Hapsburg cadet knew nothing of the dealings behind the dramatic Mexican situation or, perhaps, burning with ambition to elevate himself to the Imperial rank of his much-envied brother Franz Josef, did not even wish to know about them.*

Lo studio di Massimiliano racchiude i segreti della sua illusione di grandezza; riproduce il quadrato di poppa della «fatal Novara», la fregata alla quale l'imperatore era romanticamente legato per avervi trascorso momenti indimenticabili di vita: dalla crociera intorno al mondo all'arrivo in Messico. Ma fu anche la «Novara» a riportarne a Trieste le spoglie. E la pazzia di Carlotta, dopo, trovò qui immagini e ricordi strazianti di un passato felice ai quali alimentarsi.

Maximilian's study holds the secrets of his delusions of grandeur. It reproduces the after wardroom of the «fateful Novara», the frigate to which the Emperor was attached in a romantic fashion, having spent some of the most unforgettable moments of his life on it, from his cruise round the world to his arrival in Mexico. The «Novara», however, also carried his mortal remains back to Trieste. Charlotte's insanity later found here images and painful memories of a happy past on which to feed.

194.195. *Trieste.* Le Università di Trieste e di Udine, insieme al Centro internazionale di fisica e all'Area di ricerca scientifica del capoluogo giuliano, nonché al Centro internazionale di scienze meccaniche di Udine, costituiscono un importantissimo polo di sviluppo di cultura scientifica e umanistica proiettato nel cuore dell'Europa.

«...nell'immobilità e nel silenzio, città, mare e colli apparivano di un solo pezzo, la stessa materia foggiata e colorita da qualche artista

194.195. Trieste. *The Universities of Trieste and Udine, together with the International Physics Centre and the Scientific Research Area of Trieste as well as the International Mechanical Sciences Centre in Udine, constitute an important centre of development for scientific and humanistic learning with its sights set on the heart of Europe.* «...*in immobility and silence, town, sea and hills seemed all of a piece, the same material moulded and coloured by some wierd artist...*». *Trieste appeared thus to Svevo's lovers in Senility. And yet, behind*

bizzarro...»: così Trieste si presentava agli amanti sveviani di *Senilità*.
Eppure, dietro all'apparente immobilità vibravano contraddizioni
e fermenti che portarono alla scoperta di nuovi orizzonti spirituali
e alla creazione di uno stile di vita e di una civiltà assolutamente
originali, in cui si amalgamavano apporti molteplici di popoli
e di culture.
Questo patrimonio è tuttora vivo nel capoluogo giuliano, impegnato
a recuperare, nelle nuove dimensioni della storia contemporanea, la
sua funzione d'emporio aperto verso l'oriente.

*the apparent immobility, contradictions and ferments were brewing
which led to the discovery of new horizons of the spirit and the
creation of a completely original culture and way of life in which the
myriad contributions of different peoples and cultures amalgamated.
This heritage lives on in a Trieste intent on regaining, in the new
context of contemporary history, its role as a trading centre with the
east.*

196.197.198.199.200. *Trieste, la cattedrale di San Giusto*. Il colle di San Giusto vide l'origine di Trieste, dalle primitive radici venetiche alla città romana. La cattedrale, completata nelle attuali forme gotiche nel 1385, ingloba due costruzioni preesistenti: il sacello carolingio di San Giusto e la chiesa romanica di Santa Maria Assunta. All'interno la stratificazione dei linguaggi sfoglia antiche pagine di storia. Profumi orientali come di moschea emanano dalla decorazione musiva del sacello.

196.197.198.199.200. Trieste. St. Justus' Cathedral. *The hill of St. Justus saw the beginnings of Trieste, from its primitive Venetic roots to the Roman city. The cathedral, completed in its present Gothic form in 1385, incorporated two previous constructions: the Carolingian sacellum of St. Justus and the Romanesque church of St. Mary of the Assumption. Inside, the stratification of idioms turns ancient pages of history. The sacellum's mosaic decoration exudes a scent of the orient, like a mosque.*

Nei mosaici parietali, databili fra l'XI e il XIII secolo, esplode vivida l'atmosfera adriatico-bizantina filtrata attraverso le scuole di Torcello e di San Marco.
Il San Giusto dipinto da un ignoto maestro trecentesco, formatosi alla scuola degli allievi friulani di Vitale da Bologna, regge il modello della città medioevale e il crocifisso in lamine d'argento della fine del XIV secolo sgrana intorno al corpo del Cristo intrecci di rami e azzurre pigne smaltate.

In the mural mosaics, which date from between the twelfth and fourteenth centuries, the Adriatic-Byzantine atmosphere as interpreted by the schools of Torcello and St. Mark's is overwhelming. The St. Justus painted by an unknown fifteenth-century artist formed in the school of Friulian pupils of Vitale da Bologna, bears a model of the medieval city, and the silverleaf crucifix from the end of the fourteenth century surrounds the body of Christ with garlands of branches and blue enamel pine-cones.

201. *Trieste, il castello.* I resti della basilica romana, con la vasta aula a due ordini cinta da ventotto colonne e l'abside interna sede della curia, delineano il loro nitido disegno in un'onda di verde, aperta al respiro dei colli carsici e della città moderna.

Drappeggi spessi di edera e di arbusti e quinte vellutate di cipressi ammantano le mura del castello, costruito tra la fine del Quattrocento e i primi decenni del Seicento.

Donatasi all'Austria nel 1382, Trieste riuscì a mantenere, nelle lotte fra la Serenissima e l'Impero, un equilibrio soltanto raramente spezzato.

201. Trieste. The Castle. *The remains of the Roman basilica, with its vast hall in two orders surrounded by twenty-eight columns and the internal apse which was the seat of the Curia, trace a clear design on a wave of green and open out towards the hills of the Carso and the modern city. Thick cloaks of ivy and other shrubs flanked by velvety cypresses bedeck the castle walls, built between the end of the fifteenth century and the first decades of the seventeenth. After going over to Austria in 1382, Trieste managed to maintain a rarely disturbed equilibrium in the struggles between the Most Serene Republic and the Empire.*

202.203. *Trieste, piazza Unità d'Italia.* L'istituzione, nel 1719, da parte di Carlo VI d'Asburgo del porto franco e l'epopea mercantile favorita da Maria Teresa segnano la nascita della nuova Trieste, centro emporiale dell'Impero.
Economicamente proiettata verso il mondo danubiano, la città elabora una cultura italiana di frontiera che assorbe e reinterpreta gli stimoli più fertili della Mitteleuropa.
Ai primi del Novecento, le presenze di Joyce e di Freud rendono ancora più incisiva questa funzione mediatrice fra civiltà diverse.

202.203. Trieste. Piazza Unità d'Italia. *The institution of a free port by Charles VI of Hapsburg in 1719 and the mercantile adventures favoured by Maria Theresa signalled the birth of a new Trieste, trading centre of the Empire. Economically, the city looked to the Danubian regions and developed an Italian frontier culture which absorbed and reinterpreted the most creative stimuli of Mitteleuropa. At the beginning of the twentieth century, Joyce's and Freud's presence exalted this role of mediator between different civilisations.*

Da qui, però, anche il dissidio e i conflitti all'interno della società e dell'anima triestina, premute, da un lato, dalle ragioni dell'interesse pratico e, dall'altro, da quelle del sentimento.

Le lacerazioni e le ambiguità trovano forma drammatica nei testi letterari di Scipio Slataper, di Carlo e Giani Stuparich, di Ettore Schmitz, il cui nome d'arte, Italo Svevo, sottolinea in termini espliciti la dicotomia.

Le contraddizioni esploderanno nelle tensioni nazionalistiche e nel primo conflitto mondiale, risolto nel 1918 con l'annessione di Trieste all'Italia.

This also, however, led to dissent and conflict in the soul of Trieste society under pressure on the one hand from the promptings of practical self-interest and on the other from those of sentiment. These wounds and ambiguities took on a dramatic from in the literary texts of Scipio Slataper, of Carlo and Giani Stuparich and of Ettore Schmitz, whose literary pseudonym, Italo Svevo, explicitly underlines the dichotomy. The contradictions were to come to the surface explosively in the form of nationalistic tendencies, and in the First World War, which ended in 1918 with the annexation of Trieste to Italy.

204.205. *Trieste, canale di Sant'Antonio - 206. Trieste, il porto.* Il tempio neoclassico di Sant'Antonio Nuovo e la chiesa serbo-ortodossa di San Spiridione dicono di una complessità di componenti etniche fuse in uno scenario di esuberante vitalità, di «monumentalità e capriccio», come scrisse Silvio Benco. Nel canale, nelle policromie dei battelli, nei riflessi tremuli degli edifici sull'acqua, circola l'«aria strana», la «scontrosa grazìa», cantata da Umberto Saba, d'una «città che in ogni parte è viva».

204.205. Trieste. St. Anthony's Canal - 206. Trieste. The Docks. *The neoclassical church of New St. Anthony's and the Serbian Orthodox church of St. Spiridon's tell of a complex variety of ethnic components set on a stage of exuberant vitality, of «monumentality and caprice» as Silvio Benco wrote. The «strange air», the «sullen grace» of a «city alive in every part» celebrated by Umberto Saba can be felt on the canal, in the colourful boats and in the shimmering reflections of the buildings in the water.*

207.208.209.210.211. *Muggia*. L'euforia frenetica dei cortei mascherati movimenta le giornate del carnevale di Muggia. Nei campielli e nelle calli ride già l'aria dell'Istria veneta. Muggia sorge sull'estremo lembo settentrionale della penisola istriana rimasto all'Italia dopo la seconda guerra mondiale: come molte altre cittadine e borgate che si dispiegano lungo la costa dell'Adriatico orientale, dopo l'età romana e il dominio dei patriarchi di Aquileia fece atto di dedizione alla Repubblica di San Marco, conservandone tuttora viva l'impronta. Un gioiello dell'architettura veneto-lombarda è la facciata quattrocentesca del duomo.

207.208.209.210.211. Muggia. *The frenzied euphoria of masked processions enlivens the days of Carnival in Muggia. The atmosphere of Venetian Istria smiles in the squares and lanes. Muggia lies on the extreme northern edge of the Istrian peninsula, which remained Italian after the Second World War. Like many other small towns and villages which stretch out along the coast of the eastern Adriatic after the Roman era and the rule of the Patriarchs of Aquileia, Muggia took an oath of allegiance to the Republic of St. Mark and still bears the imprint of Venice today. The fifteenth-century cathedral façade is a jewel of Venetian-Lombard architecture.*

◁ *212.213.214.215.216. Grado.* La sabbia finissima, le pinete, la purezza cristallina del mare di turchese: Grado è una delle perle del turismo marino. Approdo raffinato della buona società asburgica, l'«Isola del sole» ha mantenuto inalterate la limpida dolcezza, la quiete linda e ordinata di quella che resta un'oasi di distensione e di silenzio. Le tende e le capanne, disposte in file diritte lungo l'arenile conservano l'alone fascinoso «fin de siècle» delle villeggiature descritte da

212.213.214.215.216. Grado. The finest of sand, the pine groves and the crystalline purity of the turquoise sea – all this makes Grado one of the pearls of seaside tourism. Once the sophisticated resort of polite Hapsburg society, the «Island of the Sun» has kept unchanged and the clean sweetness and the neat, tidy calm of what is still an oasis of relaxation and silence. The awnings and the bathing-huts laid out in straight lines along the sands preserve the charming fin-de-siècle *atmosphere of holidays described by Marcel Proust*

Marcel Proust e da Thomas Mann. Ma lo sviluppo di attrezzature ricettive, di servizi e di impianti ha dato al centro balneare una dimensione confortevole e moderna.

Fino dai tempi dei romani il bagno di sabbia sul lido gradese era considerato un veicolo di salute per patrizi e matrone della vicina Aquileia. E i mitici patriarchi, protetti da una cortina di riserbo come in un film felliniano, si lasciavano immergere nelle «buche» a sollievo della loro egritudine fisica.

and Thomas Mann. The development of an infrastructure of installations and services has given the bathing centre a comfortable, modern dimension.

Sand baths at the lido of Grado have been considered since Roman times to be health-giving by the patricians of nearby Aquileia and their ladies. The legendary Patriarchs themselves, protected by a modesty curtain as if in a Fellini film, were lowered into the «holes» to make good the weaknesses of the flesh.

La calda rena d'oro è anche scrigno prezioso per difendere la bellezza del corpo.
Sfruttando l'irradiazione solare molto intensa e prolungata nell'arco del giorno, le condizioni climatiche particolarmente favorevoli e le virtù terapeutiche dell'acqua marina, Grado ha sviluppato un turismo di elevata qualificazione sotto il profilo tecnico-sanitario.
«Bocon amaro condìo de sal / tolto del mar al fondo / tra sighi lamentosi d'un cocal...». Il boccone amaro e salato tratto dal fondo marino tra gridi lamentosi di gabbiani, cantato da Biagio Marin,

The warm golden sand is also a precious source of beauty treatment. By exploiting the intense, day long solar radiation, its particularly favourable climatic conditions and the therapeutic properties of its sea water, Grado has developed a tourist trade which, from the medical and technical points of view, is highly specialized.
«Bocon amaro condìo de sal / tolto del mar al fondo / tra sighi lamentosi d'un cocal...». The bitter, salty mouthful taken from the sea bed midst the plaintive cries of gulls sung by Biagio Marin

è la ragione di vita della comunità di pescatori arroccata tuttora nel vecchio borgo. Un mondo piccolo che il poeta ha trasformato in un universo essenziale e lineare di colori netti, di pochi oggetti, di parole ripetute in maniera sempre nuova.

Nelle calli lastricate di pietre, davanti ai balconi fioriti di gerani, scende nel cuore una «dolse pase».

«Quanto più moro... tanto più de la vita m'innamoro» sembrano dire le due donne con un verso di Marin; e il lavoro delle mani è come «gran che mete spiga».

is the raison d'être of the fishing community which is still ensconced in the old town. It is a small world, which the poet has transformed into a spare, linear universe of sharp colours, few objects and words repeated in ways that are always new.

In the cobbled lanes in front of geranium-bedecked balconies, a «sweet peace» descends on one's heart.

«The more I die... the more I am in love with life» the two women seem to be saying, in the words of a verse by Marin. Their handiwork is like «corn sprouting ears».

217.218 *Grado, il duomo*. Figlia di Aquileia, di cui costituì il prolungamento del sistema portuale e il luogo di villeggiatura per i ricchi romani, Grado offrì il primo rifugio sicuro agli abitanti della terraferma in fuga davanti alle invasioni barbariche. Dopo lo «scisma dei tre capitoli», nel settimo secolo, fu sede di un patriarcato autonomo della chiesa aquileiese, trasferitosi successivamente a Venezia.

217.218. Grado. The Cathedral. *Daughter of Aquileia of whose harbour system it was an extension and for whose rich Roman citizens it was a resort, Grado offered the first safe refuge to inhabitants of the mainland in flight before barbarian invasions. After the «schism of the three chapters» in the seventh century, it was the seat of an autonomous Patriarchate of the church of Aquileia, which later moved to Venice.*

Nel sesto secolo il patriarca Elia vi eresse due basiliche paleocristiane. Quella di Sant'Eufemia venne costruita da architetti bizantini e ravennati, in gran parte con materiali di spoglio. Nell'«umbrìa» profumata dalle memorie della storia il cadenzato movimento di archi, di colonne provenienti dall'Ellesponto, di plutei scolpiti, di mosaici e il composito disegno orientalizzante dell'ambone svolgono come una lunga e dolce litania. Lo sfolgorìo della pala trecentesca sbalzata da orafi veneziani in argento dorato evoca un'aura remota di grandezza.

In the sixth century, the Patriarch Elijah erected two early Christian basilicas in Grado. St. Euphemia's was built by architects from Byzantium and Ravenna, using largely plundered material. In the «sombreness» perfumed by the memories of history, the rhythmic movement of arches, columns from the Hellespont, carved screens, mosaics and the composite oriental design of the pulpit recites a long and beautiful litany. The splendour of the fourteenth-century altar-piece embossed by Venetian goldsmiths in gilded silver evokes a remote aura of greatness.

◁ *219.220.221.222.223. Aquileia.* Il Friuli nasce alla storia con Aquileia, la colonia romana fondata nel 181 a. C. e arrivata al massimo fulgore nei secoli aurei dell'impero, quale grande emporio aperto ai traffici con il Norico, l'Istria, l'Oriente.
Per Aquileia passavano i commerci dell'olio, del vino, dei metalli e la celebre via dell'ambra.
La città svolse un ruolo importante nelle vicende del primo cristianesimo con il vescovo Teodoro, San Girolamo, Rufino, Valeriano, Cromazio. Per la sua particolare ubicazione fu teatro

219.220.221.222.223. Aquileia. The history of Friuli begins with Aquileia, the Roman colony founded in 181 B. C., which reached the height of its splendour in the golden centuries of the Roman Empire as a great trading centre for traffic from Noricum, Istria and the Orient.
Through Aquileia passed the oil, wine and metal trades as well as the celebrated amber route. The city played an important role in the early days of Christianity through Bishop Theodore, St. Jerome, Rufinus, Valerian and Chromatius. Because of its location, it was

degli scontri fra la tramontante potenza latina e i popoli barbarici. Nel 452 venne incendiata da Attila.

La paralisi dei traffici marittimi, la crisi dell'economia, la lenta dissoluzione dell'amministrazione civile, il diffondersi della malaria ne accelerarono il processo di decadimento. Divenuta sede della signoria temporale dei Patriarchi, agli inizi del Mille visse un effimero sogno di rinascita con il patriarca Popone, che edificò il palazzo residenziale, consolidò le difese, eresse la basilica.

La costruzione domina maestosamente la pianura verdeggiante, con

the scene of clashes between the declining Latin power and barbarian peoples. In 452, it was sacked by Attila. The paralysis of sea routes, the economic crisis, the slow disintegration of civil administration and the spread of malaria all speeded the process of decay. When it became the seat of the temporal signory of the Patriarchs at the beginning of the eleventh century Aquileia enjoyed an ephemeral dream of renaissance under Patriarch Popo, who built the residential palace, strengthened the defences and erected the basilica. This

il campanile romanico e la massa delle murature in laterizio, calda e rosata al tramonto, accarezzata dalle cime scure dei cipressi. Nell'interno, scandito dal ritmo degli archi gotici, lo splendido pavimento musivo, unico al mondo per la sua ampiezza (700 mq), innesta sulle inflessioni realistiche ancora classiche elementi di una sensibilità diversa, astratta e allegorica.
Oggi le tracce romane e paleocristiane si confondono con le prospettive e con gli scorci della borgata agricola. I resti delle

construction majestically dominates the green plain, with its Romanesque bell-tower and the bulk of its brickwork walls, warm and pink at sunset and caressed by the dark tops of the cypresses. Inside, marked out by Gothic arches, the splendid mosaic floor, the only one in the world of this size (700 sq. mts.), grafts onto realistic, still classical lines elements of a different sensibility, abstract and allegorical. Today, Roman and early Christian remains melt into perspectives and views of the rural village. Remains of the imposing

possenti strutture portuali e dei selciati di strade affiorano interrati nei prati. Soltanto il sogno può animare le pietre ormai mute della multicolore folla vociante di marinai, legionari, mercanti, «clientes»; tra i pini marittimi la fantasia immagina il lento approdare delle navi onerarie cariche di preziose mercanzie provenienti da lontane terre di leggenda e l'erba incornicia le tessere degli antichi mosaici: fregi e geometrie astratte, frammenti di azzurri pavoni e di iridescenti uccelli esotici.

harbour buildings and the paving stones of the roads peep out under the meadows. Only the imagination can bring these now mute stones back to life with a colourful, noisy crowd of sailors, legionaries, merchants and «clients». The imagination allows us to see freighters berthing behind cluster pines, bearing cargoes of precious goods from distant lands of legend, and the grass frames the tesserae of the ancient mosaics with their embellishments and abstract designs, fragments of blue peacocks and iridescent exotic birds.

224. *Laguna di Grado.* L'opera musicale delle correnti disegna sulle algose marezzature della laguna topografie capricciose di meandri, ricche di barene, dossi, canali.
Qua e là sugli argini i tetti di paglia dei «casoni» di pescatori chiusi entro nicchie d'alberi interrompono con rustico impatto la linearità dell'orizzonte: nel deserto d'acqua, di sabbie e di canne l'aspro sussulto di un segno umano.

224. Lagoon of Grado. *The harmonious efforts of the currents draw whimsical, meandering landscapes full of shoals, banks and channels on the seaweed-shaded patterns of the lagoon. Here and there on the dykes, the thatched roofs of the fishermen's «casone» huts snugly set among the trees interrupt the line of the horizon with their rustic force, leaving, with a sudden shock, the mark of man on the wastes of water, sand and reeds.*

225. *Laguna di Marano*. Viluppi, dedali di reti sulla barena «raddoppiati» dal riflesso tremulo dell'acqua. Bordi di terra in pendenza, isolotti di falasco e d'erba, come scriveva Ernest Hemingway che queste parti le conosceva bene, tanto da averle trasformate in personaggi del suo romanzo d'addio e di disperata nostalgia d'amore.

225. Lagoon of Marano. *A mazy entanglement of nets on the sandbank is «doubled» in the water's shimmering reflection. There are sloping shores and islets of marsh-grass and weeds, as Hemingway wrote. He knew these parts well enough to feature them in his novel of farewell and hopeless nostalgia of love.*

◁ 226. *Laguna di Grado.* Scacchiere affioranti di sabbie e vibrazioni lievi di onde. Lingue d'oro e specchi opalescenti. Arcipelaghi di silenzio nella penombra ambrata del crepuscolo. La brezza intrisa di salsedine rende calde le immagini di un'innocenza ritrovata, con palpiti di malinconia.

226. Lagoon of Grado. *Sandbanks break the surface in chessboard patterns with gentle tremors of the waves. We find tongues of gold and opalescent mirrors. Archipelagoes of silence in the amber half-light of the dusk glow softly. The salty breeze warms images of rediscovered innocence with pangs of melancholy.*

227.228. *Marano Lagunare.* Nella città di pescatori il ricordo di Venezia non è presente soltanto nelle statue di pietra dei Provveditori della Serenissima, ma vive nel dialetto che ha un

227.228. Marano Lagunare. *In this fishing town, the memory of Venice is present not only in the stone statues of the Superintendents of the Most Serene Republic but lives on in the dialect which has*

suono remoto, come a Grado o nelle cittadine costiere dell'Istria.
Il 15 giugno, festa dei patroni Vito, Modesto e Crescenzo, strade
e piazze s'impavesano di festoni. Le statue e le reliquie dei santi
vengono accompagnate in laguna da una processione di barche
inghirlandate di fiori, di serti verdi, di drappi svettanti, di bandiere.
Giunta all'incrocio dei canali la processione si ferma e il sacerdote
impartisce la benedizione al mare, dal quale la gente trae le ragioni
della propria esistenza. Dalle battelle e dai bragozzi si eleva il coro
delle litanie in un'antichissima melodia locale.

a faraway sound, as in Grado or the coastal towns of Istria. On 15th
June, the feast of the patron saints Vitus, Modesto and Crescenzo, the
streets and squares are dressed with bunting. The statues and relics
of the saints are escorted on the lagoon by a procession of boats
garlanded with flowers, green wreaths, fluttering hangings and flags.
When it reaches the junction of the canals, the procession stops and
the priest blesses the sea from which the population draws its reason
for existing while from the steamers and fishing-boats comes a
melodious chorus of voices reciting ancient litanies.

229. *Aprilia marittima* - *230. Lignano Sabbiadoro*. La selva d'imbarcazioni allineate fitte nelle darsene dà l'immagine della consistenza di Lignano, la più importante stazione turistica della regione. Otto chilometri di spiaggia collegano tre centri: Sabbiadoro, che è il nucleo dal quale partì lo slancio pionieristico della «Florida d'Italia»; Pineta, concepita secondo un ardito progetto d'urbanizzazione diretto in origine a stabilire equilibrati rapporti

229. Aprilia Marittima - 230. Lignano Sabbiadoro. *The armada of boats drawn up in close-packed ranks in the docks gives us an idea of the size of Lignano, the most important tourist resort in the Region. Eight kilometres of beaches link three centres: Sabbiadoro, which is the nucleus from which the pioneering energy of «Italy's Florida» surges forth; Pineta, conceived to follow a bold town plan which originally aimed to establish a balanced relationship*

fra insediamenti umani e ambiente naturale; e Riviera, «incuneata fra l'Adriatico e il fiume Tagliamento». Di là dalla laguna si disegnano le montagne che il colonnello Cantwell del romanzo di Hemingway, a caccia di folaghe, vedeva alzarsi di colpo dalla pianura, come un miraggio per chi aveva bruciato tutto alle proprie spalle e non scorgeva altri orizzonti se non l'incanto d'una natura primordiale e le memorie di una splendida cultura.

between residential areas and natural environment; and Riviera, «wedged between the Adriatic and the Tagliamento». Beyond the lagoon, one can make out the mountain which Colonel Cantwell in Hemingway's novel, out hunting for coots, saw rise up suddenly out of the plain like a mirage before someone with nothing to go back to and with no horizon other than the enchantment of a primordial natural environment and the memories of a splendid civilization.

◁ *231.232.233.234. Lignano Sabbiadoro.* « Una rotonda sul mare... ». La canzone dei « favolosi » anni Sessanta appartiene all'ideale colonna sonora da sovrapporre alle immagini d'una spiaggia che proprio in quell'epoca assunse dimensione internazionale in continuo sviluppo.

231.232.233.234. Lignano Sabbiadoro. « A pier on the sea... ». The song from the « fab » sixties belongs in the soundtrack to play over these images of a beach which in precisely those years took on an international dimension still in continuous development.

La policromia sterminata degli ombrelloni, le distese morbide della pineta, i porticcioli quieti tra gli alberi, i lunghi viali, la carezza sfavillante della risacca hanno la solarità d'una vacanza goduta come una festa di giovinezza breve, cui restare legati con le ragioni del cuore.

The endless multicoloured sweep of beach umbrellas, the soft expanses of the pine groves, the quiet little harbours behind the trees, the long avenues and the sparkling caress of the undertow have the sunny nature of a holiday enjoyed as if it were an all-too-short festival of youth, to hold onto with all one's heart.

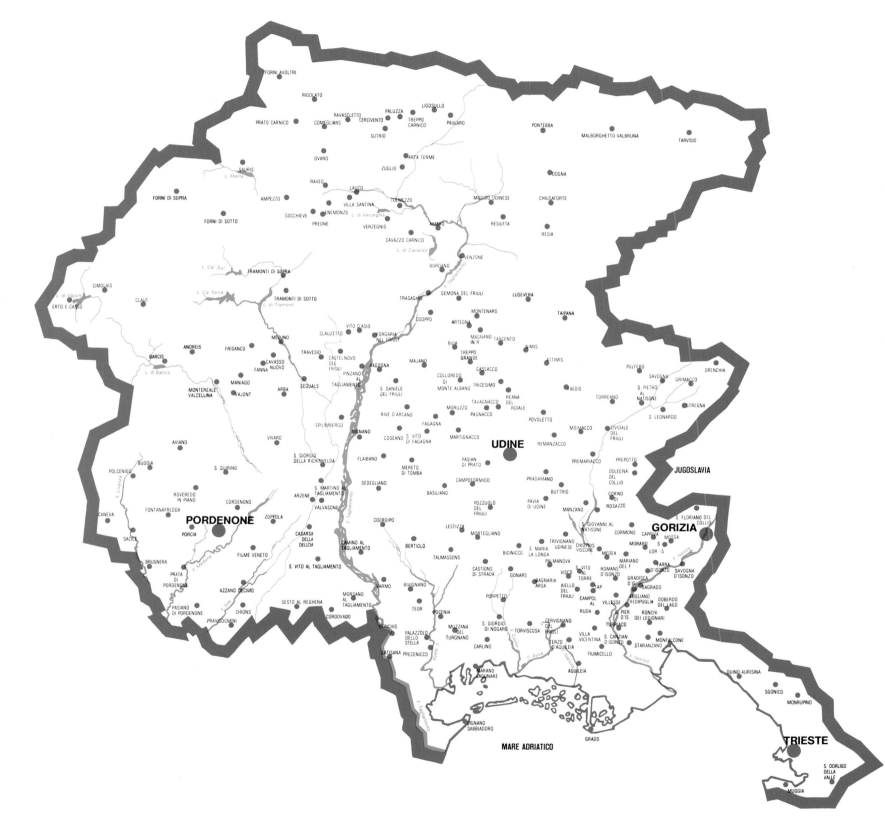

Indice delle località / *Index of places featured*

Per la foto 165 su Palmanova,
autorizzazione SMA n. 104.

La foto 166 sull'aeroporto di Ronchi, è stata fornita
dalla direzione dell'aeroporto.

Per le foto I-Buga Milano: 113 Sacile, 131 Villa Manin,
139 Codroipo, 140 Udine, 167 Mortegliano, 168 Gorizia,
206 Trieste, 219 Aquileia, 221 Grado
autorizzazione SMA n. 493/1983.

SMA authorisation no. 104
for photograph 165 over Palmanova.

Photograph 166 of Ronchi airport was supplied
by the airport authority.

SMA authorisation no. 493/1983 for the I-Buga Milano
photographs: 113 Sacile, 131 Villa Manin, 139 Codroipo,
140 Udine, 167 Mortegliano, 168 Gorizia, 206 Trieste,
219 Aquileia and 221 Grado.